KB091040

방공무기개론

최창규 · 성창수 · 이영욱 공저

NODE MEDIA
노드 미디어

머리말

　인류의 역사가 시작되면서 인간은 무기를 만들어 그것을 사용하여 자신과 이웃을 지키는 도구로 사용하였다. 그래서 인류의 역사는 전쟁의 역사라고 볼 수 있다.

　걸프전, 코소보전, 아프카니스탄전 등 최근의 현대전은 군사 과학기술 발달, 위협의 다양화, 전쟁수행 개념의 변화 등 전쟁양상이 빠르게 변화하고 있음을 단적으로 보여주었으며, 특히 빠른 공격속도 및 방어태세를 요구하는 측면에서 항공력의 발전과 이에 대비한 대공방어 체제의 구성이 가장 핵심적인 요구가 될 수 있다.

　이런 현대전을 분석해 보면 적 항공기, 미사일, 무인항공기 등 다양한 공중위협으로부터 우군의 부대 및 주요시설을 방호하여 전투력을 보존하고, 행동의 자유를 보장하는 방공무기의 작전태세 유지가 전쟁초기 주도권 장악 및 전쟁승패에 결정적인 영향이 미친다는 것을 알 수 있다.

　따라서 미래전에 대비하기 위한 방공무기는 체계반응시간이 빠르고, 사거리가 길고, 전천후 주·야간사격이 가능하며, 명중률과 생존성이 높은 복합형 대공무기체계로 발전되어야 할 것이다.

　이런 관점에서 본 교재는 방공무기 역사를 소개하여 방공무기의 중요성을 강조하였으며, 대공포, 대공유도무기, 복합대공화기, 레이더, 방공무기발전추세 등을 과거와 현재 미래의 국내·외 방공무기를 체계적으로 정리하였다. 그리고 부록에 적·아 항공기를 소개함으로써 방공무기 운용효과를 제고하였다.

　따라서 본 교재가 방공무기체계를 연구 및 관리하고 교육에 종사하는 산·학·군의 모든 기관과 관련요원들에게 도움이 되기를 바란다.

2013. 2.
저자 씀

목   차

제 1 장 방공무기 역사

제 1 절 개 요 1-1

제 2 절 1차 세계대전 1-3

제 3 절 2차 세계대전 1-6

제 4 절 한국전쟁 1-18

제 5 절 월남전쟁 1-25

제 6 절 중동전쟁 1-33

제 7 절 걸프전쟁 1-44

제 2 장 대 공 포

제 1 절 개 요 2-1

제 2 절 견인형 대공포 2-3

　　1. 12.7mm(M55 / M45D) 2-3

　　2. 20mm Vulcan(견인 / 자주) 2-4

　　3. 35mm Oerlikon 2-6

　　4. 40mm(M1) 2-9

제 3 절 자주형 대공포 2-11

　　1. ZSU-23-4(Shilka) 2-11

　　2. 30mm 비호 2-13

　　3. 35mm Gepard 2-17

제 3 장 대공 유도무기

제 1 절 개 요 3-1

제 2 절 휴대용 대공유도무기 3-3

　　1. 이글라 3-3

　　2. 미스트랄 3-7

　　3. 신 궁 3-10

　　4. 스팅거 3-15

제 3 절 단거리 유도무기 3-18

　　1. Roland 3-18

　　2. 천 마 3-19

　　　제 4 절　중거리 유도무기 ································· 3-30
　　　　　1. 호 크 ··· 3-30
　　　　　2. 천 궁 ··· 3-31
　　　제 5 절　장거리 유도무기 ································· 3-35
　　　　　1. 패트리어트 ····································· 3-35

제 4 장　복합 대공화기
　　　제 1 절　개　요 ·· 4-1
　　　제 2 절　복합 대공화기 ································· 4-2
　　　　　1. Tunguska-M1(2S6M1) ························ 4-2
　　　　　2. Pantsir-S1(Pantsyr-S1) ··················· 4-5
　　　　　3. Avenger ······································ 4-8
　　　　　4. LAV-AD ······································· 4-12
　　　　　5. BLAZER ······································· 4-14
　　　　　6. Machbet ······································ 4-16
　　　　　7. ZSU-23-4 Biala ····························· 4-18

제 5 장　레 이 더
　　　제 1 절　개　요 ·· 5-1
　　　제 2 절　저고도 탐지레이더 ······················· 5-8

제 6 장　방공무기 발전 추세
　　　제 1 절　대공포 ·· 6-1
　　　제 2 절　대공 유도무기 ································· 6-11
　　　제 3 절　복합 대공무기 ································· 6-23

부　록
　　　부록 #1　항공기 명명법 ····················· 부록 #1-1
　　　부록 #2　우방국 항공기 ····················· 부록 #2-1
　　　부록 #3　적성국 항공기 ····················· 부록 #3-1

참고문헌

제 1 장 방공무기 역사

제 1 절 개 요

인류의 역사 속에는 지금까지 끊임없이 전쟁이 있었고 그때마다 각각의 전략전술과 무기체제에 많은 변화가 있었다. 이는 과학의 발달과 더불어 무기체제에 대한 꾸준한 연구에 기인한다고 할 수 있다.

1940년대 영·독 전쟁으로부터 1991년 걸프전에 이르기까지 방공전사를 볼 때, 독일의 대규모 편대군 공격에 대비한 영국군의 조기 경보 레이더 및 효율적인 이중 무기 운용, 미군의 저고도 침투에 대비한 월맹군의 효율적인 대공포 운용 등으로 영국과 월맹은 각각 방공임무에 성공하였고, 3차 중동전 당시 이스라엘은 이집트군의 레이더망을 회피한 초저고도 기습공격으로 전쟁 주도권을 장악하여 6일 만에 전쟁을 종결하였으며, 4차 중동전에서는 이집트 軍이 3차 중동전의 교훈을 거울삼아 완벽하게 방공작전태세를 유지함으로써 전쟁 초기 주도권을 장악할 수 있었다. 또한 걸프전에서는 다국적군이 고도로 발달된 최신무기(항공기, 마시일)로 고강도 지속성(주, 야간 전천후) 공격으로 이라크의 주요시설(특히 초기 SAM 기지)을 공격하여 전쟁 수행능력/의지를 말살하는 등 적절한 조치를 하였다.

이러한 방공전사를 분석해 보았을 때 방공작전태세 유지가 전쟁초기 주도권 장악 및 전쟁승패에 결정적인 영향을 미친다는 것을 알 수 있을 것이다.

비가 올 때 우산을 쓰지 않으면 비에 흠뻑 온 몸이 젖게 되는 것 처럼 방공무기의 보호 없이 지상군의 안전한 행동의 자유와 기동을 보장받기는 매우 곤란하다.

    2차 세계대전 당시 미 8공군은 대공화기에 의해 5,380대의 손실을 입었는데 이는 공대공 교전에 의한 손실 4,274대보다 더 많은 숫자였다. 또한 한국전쟁에서도 대공포에 의한 항공기 손실은 544대 이상으로서 공대공 교전에 의한 손실의 5배이었고, 월남전 손실은 고정익 항공기 2,100대, 헬기 410대였다. 걸프전에서도 바그다드 인근 대공화력이 6기의 토마호크(Tomahawk)를 격추한 것으로 추산된다.

    이와 같이 세계 주요 전쟁에서 방공무기는 전승에 결정적인 영향을 미쳤으며 미래전에 있어서도 고성능 항공기, 무인기, 탄도탄 등 새로운 공중위협에 대비한 방공무기의 역할은 더욱 증대될 것은 명확한 사실이다.

제 2 절 1차 세계대전

1. 개   요

1차 세계대전은 1914년 7월 28일부터 1918년 11월 11일까지 4년 3개월 간 32개국이 참전한 세계 최초의 대전이다. 또한 이 세계 대전의 원인은 여러 가지로 자국의 입장을 대변하는 태도를 보이기 때문에 어느 한 나라 로 국한시키기가 어렵다.

2. 전쟁 발발원인

가. 간접원인

전쟁이 발생하게 된 원인을 시대적으로 분류하면 다음과 같다. 보·불전쟁의 결과로 독일은 구주대륙의 최강대국으로 등장했으며 산업혁명 에 따른 산업의 발달로 시장과 원료 공급원으로서 식민지 획득이 필요 하게 되었다. 이러한 목적으로 강력한 해군력을 건설했다.

독일에 우호적이었던 영국이 독일의 함대 건설에 따라 해군력을 생 명으로 알고 있던 영국입장에서 심각한 위기의식을 느껴 불편한 관계로 돌변하게 되었다. 프랑스는 1870년 보·불전쟁에서 독일에게 패하여 알 사쓰·로렌지방을 빼앗겼다. 그로 인한 복수심이 강하게 작용하여 신속 한 회복으로 1900년대에는 독일 다음의 군사강국으로 부상했다. 독일의 비스마르크 재상은 프랑스를 고립시키기 위하여 독일, 러시아, 오스트리 아를 결속하여 삼제동맹(三帝同盟)이라는 비밀조약을 체결하였으며 1882 년 독일, 오스트리아, 이탈리아 간에 3국동맹을 결성했다.

하지만, 1890년 독일의 젊은 황제 빌헬름 2세는 비스마르크를 해임 시키고 1887년에 체결한 독일과 러시아간의 재보장조약을 파기하였으 며, 영국은 주변국가의 상황을 고려하여 명예로운 고립정책을 버리고

1907년 영국, 프랑스, 러시아 사이에 삼국협상을 체결했다. 식민지 획득을 위해 취해진 영국의 동진정책과 독일의 남진정책의 대립 등을 들 수 있다.

나. 직접적인 원인

1914년 6월 28일 보스니아(현 유고슬라비아)의 사라예보에서 당시 50세의 오스트리아·헝가리 제국의 제위 계승자 프란츠 페르디난트와 43세의 소피크테 부인이 보스니아 열병식에 참석한 후 오픈카로 이동 중 세르비아의 한 청년에 의해 암살 당했다. 암살자는 흑수조(黑手組)라는 비밀 결사조직에 소속된 19세의 가브리엘로·포린칩이었으며 브로닝 권총 두 발로 암살을 성공시켰다.

오스트리아는 이를 기화로 동맹국 독일황제 빌헬름 2세에게 지원을 약속받고 7월 23일 48시간의 기한으로 최후통첩을 세르비아에게 보냈다. 영국은 세계대전을 방지하기 위해 세르비아에게 오스트리아의 요구사항을 시행촉구하나 암살사건의 재판장에 오스트리아 대표를 참석시킬 것을 요구하는 것은 주권침해라고 규정하여 세르비아는 이를 전면 거부했다. 1914년 7월 28일 11:00시 오스트리아의 외상 레오폴트·베르이톨트는 세르비아에 대해 선전포고를 했다. 세르비아 지원의 원천적인 힘을 가진 러시아는 오스트리아의 요구조건을 연기해 달라고 제의하나 거절당하자 7월 29일 일부 동원령, 7월 30일에 총동원령을 발령했다. 오스트리아의 동맹국인 독일은 7월 31일 러시아, 프랑스에 각각 최후통첩을 보내고 8월 1일, 8월 3일 각각 선전포고를 한 후 8월 4일에 영세중립국인 벨기에를 침입했다. 이에 영국은 독일에 선전포고를 했다. 이탈리아는 오스트리아의 행위가 부당하다고 인식하여 3국 동맹의 의무를 포기, 8월 3일 중립을 선언했다.

이렇게 전쟁이 지속되어 1918년 11월 11일까지 4년 3개월 동안 연합국(28개국 : 3,500만명)과 동맹국(4개국 : 2,400만명)간의 전쟁은 결국 전사 1,000만명, 부상 2,000만명, 전쟁비용 3,321불의 큰 손실을 보게 되는 등 다수의 국가가 다수의 지역에서 전세계적으로 막대한 손실을 입은 큰 전쟁이었다.

3. 방공무기의 등장

1차 세계대전 이전에는 1794년 6월 13일 오스트리아 軍이 유탄포를 제작하여 프랑스군의 관측기구를 사격하여 대공포 제작상의 과학기술의 탄생을 초래하고 지대공전의 개막이 되었으며, 헷셀 대령이 저술한『근대포와 포술』이라는 책자를 출판함으로써 각국에서 라이플총(소총)의 탄도연구가 성행하였다.

그리고 1911년 이태리군은 트리폴리 전쟁에서 실전에 비행기를 정찰에 이용하였고, 1912년에는 프랑스軍이 모로코 작전에 비행기를 사용하는 등 대공위협의 영역이 생기게 되었으며 따라서 이에 대한 대응으로 같은 해에 바르즈, 스트라우드, 마린덴은 광학적 원리를 응용하여 유효거리 3,000야드인 개인 거리 측정계를 제작하여 대공감시의 효율성을 제고하였고 1913년 12월에는 영국 육군이 4인치 5형 고사포를 제조하여 대공포의 효시가 되었으며, 1914년에도 영국에서 3인치 고사포를 제조하는 등 대공방어 기술발전의 기초를 제공했다.

1차 세계대전 중에는 독일의 영국 본토 공격에 대비 런던 방공대서 청음기를 제작하여 활용하였고 군사공장의 방호를 위해 화포배치를 강화하였으며, 1915년 3월 20일에는 파리침입을 기도했던 독일측 항공기가 프랑스軍의 대공화포에 격추되었다. 같은 해 4월 15일 영국軍이 영국 본토 침입의 항공기 3대에 대해서, 소총, 속사기관총, 대공포 등으로 처음 효과적인 반격을 하는 등 대공화기의 중요성을 인식하고 국가별로 지대한 전력(戰力) 증강을 했다.

제 3 절 2차 세계대전

원자폭탄으로 끝이 나게 된 2차 세계대전은 세계사에서 많은 아픔을 준 전쟁으로 이데올로기전, 세계적이며 무제한의 전쟁, 생산력의 전쟁, 입체전과 총력전, 과학과 기술의 전쟁 등의 성격을 가지고 있다. 2차 세계대전으로 미·소 양극체제의 성립과 식민체제의 붕괴, 핵무기의 등장, 국제연합의 성립과 평화사상이 대두되게 되었다.

1. 개 요

가. 독일과의 전쟁

성격상 1차 세계대전의 연속이며 유럽에서의 주도권 장악 및 세계무대에서의 강대국 군림 야망에서 발단되었던 이 전쟁은 1939년 9월 1일 독일의 폴란드 침공으로 시작하여 1945년 5월 8일 독일의 항복으로 종식된 전쟁이다.

나. 일본과의 전쟁(태평양 전쟁)

극동지역에서 주도권 장악을 목표로 발단되었던 이 전쟁은 1914년 12월 7일, 일본의 진주만 기습으로 시작하여 1945년 8월 15일, 원자폭탄 투하에 의한 일본의 무조건 항복으로 종식되었다.

2. 2차 세계대전의 총평

가. 연합군의 승인

전쟁자원의 절대적 우세, 영국과 소련군의 선전, 연합군의 통합 지휘체제, 전략개념의 우월성을 들 수 있다.

나. 독일군의 패인

가용자원의 부족과 양면전 실시, 통합 지휘체제의 미흡과 전략의 미일치, 히틀러의 독단과 지나친 간섭 등이 있다.

다. 일본군의 패인

명확한 방향설정이 없는 애매한 전략목적, 단기결전 전략의 실패, 비현실적이며 감정적인 사고, 융통성 없는 작전지휘, 통합 지휘체제의 불비, 창의력을 저해한 일본의 교육방법, 결과보다 과정을 중시한 의식, 의사소통의 단절 등으로 귀결될 수 있다.

3. 영국군 방공작전

가. 개   요

1) 전투기간 : 1940. 8. 10 ~ 10. 31

2) 전투국가 : 영국 대 독일

3) 전투장소 : 영국 영공

나. 전투경과

독일 공군은 작전이 시작됨과 동시에 영국공군 및 항공기 생산시설에 뒤이어 항구 및 전함에 공격을 하였으며 영국은 레이더 수리부속의 보급 불비로 각 부대는 레이더에 의해 표적 정보를 제공받을 수 없었다. 또한 영국 공군 레이더들은 정확도도 없었고 대공포 부대의 직접지원을 위해 적절히 전개하지도 못했다. 탐조등은 야간작전을 위해 우선적으로 사용준비가 되었으나 영국 특유의 악 기상은 대공포 부대가 관측하는데 크게 도움을 주지 못함으로써 전투에 활용하지 못하였다고 할 수 있겠다.

독일 공군은 단계적인 작전계획을 수립하여 공습을 실시하였는데 작전 내용은 다음과 같다.

1) **제1단계 작전** : 독일 공군은 8월 8일부터 23일까지 정찰과 야간공습을 하도록 하였으나 13일까지 공격은 실시되지 못했다. 영국 공군

은 약 1,100대의 가용한 전투기를 보유하고 있었으나 전투기의 전개와 예비대 보유의 필요성으로, 다만 200~300대의 전투기만이 독일 공군의 2,500대의 항공기와 대항할 수 있었다. 전투기간 초에는 독일군은 레이더기지를 집중 공격했으나 영국은 한대의 레이더만이 당분간 작전불가 상태의 피해를 입었으며 다른 레이더기지들은 약간의 손상만 입었을 뿐 계속적인 작전이 가능했다. 8월 15일에는 150대의 독일 항공기가 편대를 이루어 1,800여 회를 출격하여 지금까지 어느 때보다 대규모 공습을 실시함으로써 영국은 1단계 작전에서 가장 큰 고비에 봉착하였다.

2) 제2단계 작전 : 8월 24일부터 9월 6일까지의 작전기간 중 독일군은 편대의 폭격기 숫자는 감소시키고 전투기 숫자는 증가시켜 전술의 변화를 꾀하였다. 한편 영국의 공군사령부는 적전술(敵戰術)의 변화를 간파하고 그에 대한 대응전술을 하달하였다. 즉, 적이 공격할 때 자신의 비행장 방호를 위해 비행장 영공을 초계 비행하도록 하였다. 이는 비행장 방호를 위한 충분한 가용 대공화기가 없었으므로 어쩔 수 없었던 것이다. 또한 영국공군은 독일군 폭격기에 집중 공격을 함으로써 독일 공군으로 하여금 폭격기 엄호를 위해 더욱 더 많은 전투기를 할당하도록 함으로써 결과적으로 자유로운 입장에 있는 독일 전투기의 수를 감소시켰다.

3) 제3단계 작전 : 3단계 작전은 9월 7일부터 9월 말까지 연속적으로 런던에 대한 공습작전이었다. 대규모 공습을 제외하고 독일군은 15,000피트 상공에서 20~40대의 폭격기와 엄호기로서 공격대형을 갖추고 공격했으며 야간공습은 통상 1대 항공기에 의해 이루어졌고 그 표적은 런던과 산업시설이었다. 약 300대의 폭격기와 600대의 전투기 등 2개의 제파가 나타나기 시작했을 때 그 공격을 차단하기 위한 대응조치가 취했으나, 겨우 41대의 독일 전투기가 격추되었다. 영국군의 대공포는 야간에 1발의 조준사격도 실시하지 못하였다. 모든 사격은

레이더로부터 부정확한 제원과 각종 도구의 관측 및 추측에 의한 예보로 이루어졌다. 런던 화망은 적과 대항하고 있는 국민의 사기를 유지하기 위한 필사적인 방편이었다.

즉 야간에는 모든 화기는 적기의 위치를 확인할 수 없었다. 탐조등은 사용하지 않았으며 영국 전투기들은 대공화기가 배치된 지역 상공을 비행하지 않도록 비행함으로써 피아식별은 문제가 되지 않았다. 10일 밤 독일 항공기들은 화망에 걸려들었으나 비행고도를 2만 피트 이상 증가시키거나 방향을 전환해 버렸다. 일주일 동안 대공포에 의해 8대의 전투기밖에 격추시키지 못했지만 적기의 정확한 공격을 방지할 수 있었다는 것은 큰 소득이었다.

4) 제4단계 작전 : 10월 31일 84일간의 전투가 종결되었다. 독일공군은 폭격기의 대량 손실에 직면하여 폭격기는 런던이나 기타 표적에 대한 야간공격을 위해서만 사용하도록 하는 한편 주간공격을 계속하기 위해 전투폭격기들을 고고도에서 임무수행토록 하였다. 이러한 노력에도 불구하고 결국 독일 공군은 영국 상공에 대한 공중우세권의 획득에 실패했다.

영국의 항공기는 독일항공기의 대형을 분쇄시킴과 동시 더욱더 높은 고도로 비행하도록 강요했다. 또한 탐조등은 영국의 악기상과 독일항공기의 고고도 비행으로 비교적 비효과적으로 운용되었으나 영국의 폭격기가 귀환시 폭격기 기지의 위치를 알려줌으로써 적지 않은 공헌을 했다.

영국 항공기 능력으로는 독일 공군의 질풍 같은 공격에 대적할 수 없었던 것은 분명한 사실이며 비록 불충분하기는 했지만 대공포 부대가 독일군의 균형을 깨는데 크게 기여하였음을 인정해야만 한다.

대영 제국의 통합된 방공망 즉 레이더 관측부대 작전본부 제도와 통신, 그리고 방공무기 등이 수차례에 걸쳐 쟁취할 뻔했던 독일의 승리를 수포로 돌아가게 했던 것이다. 또한 비록 대공화기에 의해 300대 이하의 독일 항공기가 격추되었지만, 이러한 숫자는 오직 육안 관측과 무기의 부정확성의 여건을 고려한다면 결코 무시할 수가 없는 것이다.

이후 다시는 독일군이 그처럼 수적인 우세를 확보한 상태에서 영국 공군을 섬멸할 수 있는 황금의 기회를 포착할 수 있는 일은 결코 없게 되었다.

다. 전　과

3단계 작전기간 중 9월 15일에 독일 공군기 2,500대 중에 185대가 파괴된 것을 포함하여 독일군 총 손실은 항공기 2,357대(대공화기에 의해 300대 이내)였고 영국군 총손실은 항공기 790대로서 영국군이 대승(大勝)하였다.

라. 분　석

1) 독일은 영국의 전투기 생산능력을 과소평가하여 실질적인 영국군의 전력을 평가하는데 실패하여 전쟁계획 수립에 있어서 큰 실수를 범하여 조종사로 하여금 전의를 상실케 하였다.

2) 독일 첩보기관은 영국의 방공 통합체제에서 레이더 가치를 충분히 인식하지 못하였다.

3) 영국의 철두철미한 전투준비가 독일군에게는 가볍게 처리되었다.

4) 영국군의 레이더망 운용은 방공전에 기여하지 못하였다.

5) 영국군은 피아식별을 용이하게 하기 위해 영국군 대공포 배치 상공으로는 영국 공군의 항공기가 비행을 하지 못하도록 하였다.

6) 장차전에 대비한 방공의 중요성을 인식하여 수상직속으로 방공위원회를 설치하고 방공 무기체계와 방공전술 그리고, 당시 무기배치까지를 총망라해서 검토 개발토록 하였다.

7) 영국 국민의 정신력을 들 수 있다. 영국은 이 전투를 통하여 전 국민의 국가 방어의 목표달성 단결력과 총체적 능력을 실험할 수 있었다.

마. 전   훈

1) 적극적이고 정확한 정보활동은 전투에 지대한 영향을 가져온다.

2) 방공전투에서 야간공습에 대한 야간 대공사격술의 끊임없는 연구가 요구된다.

3) 고도의 대공포 명중률은 방공전의 승패를 좌우하므로 끊임없는 개발 및 훈련이 이뤄져야 하겠다.

4) 독일군은 결정적인 목표물은 비행장에 집중하지 않고 선박이나 항구, 그리고 런던 등 도시를 공격하는 전략적 실책을 범함으로써 항공기의 수적우위를 활용하지 못하고 전쟁에서 패하였다.

4. 진주만 기습공격

가. 개   요

1) 전투일시 : 1941. 12. 7. 07:55 ~ 09:45(약 2시간)

2) 전투부대 : 일본 대 미국

3) 전투장소 : 하와이(진주만)

나. 전투경과

1) 일본군의 공격계획

일본군은 작전 제1목표는 남방자원지대의 점령이었는데 이 작전수행상의 가장 큰 문제점은 남방공격 일본군의 좌측방을 미 태평양 함대의 공격으로부터 어떻게 방호하느냐 하는 것이었다. 일본 해군은 이에 대하여 "마리아나(Marianas)" 열도선에서 미국을 공격하여 결전을 통해 행동의 자유를 보장받겠다는 방침을 세우고 있었다. 그러나 1940년에 이미 미 함대가 하와이에 집결하여 급속하게 증강되고 있었으므로 조기에 결전할 필요성이 증대되어 갔다. 여기에 美함대의 공격을 기다려 감행하기보다는 美함대의 근거지인 진주만을 기습함으로써 태평양에 있어서의 우위를 확보하자는데 일본해군의 생각이 모아졌다. 일본 연합사령과 "야마모토"가 이 주장의 강력한 주창자였으나 해군 군사령부에서는 이에 적극 반대하였다. 그 이유는 남방작전에 병력을 집중하여야 하며 하와이 공격작전에는 해상 연료보급 및 기밀보장이 어렵고 또 美해군의 선제공격에 일본 해군이 마비될 공산이 없지 않았고 그렇게 된다면 전쟁상황을 그르치게 된다는 것이었다. 이와 같이 상반된 의견은 날카롭게 대립되었으나 1941년 11월 초에 와서 "야마모토" 안이 채택되어 진주만 공격이 확정되었던 것이었다.

2) 하와이의 방어태세

1941년 1월 "독일우선" 전략이 채택됨으로써 미국은 태평양 지역에서 방어태세만을 유지하도록 결정하였다. 따라서 미국은 완벽한 전투준비가 갖추어지는 1942년 4월까지 무력충돌을 회피하려 하였다.

하와이 방공체제는 해군이 "오아후"도 주변의 해역 700마일에 대하여 대공초계를 담당하고 있었고 육군은 해안 20마일이내에 대하여 대공경계를 담당하고 있었다. 대체로 중앙항로와 남방항로에 대하여는 경계가 소홀하였고 육·해군의 책임한계가 명확하지 않았다. 하와이 방공체제에서 가장 중요한 것은 대공경보 부대였는데 이 부대는 9개의 레이더기지를 운용하여 있었으나 부속품과 운용요원의 부족으로 계속 가동하지 않고 있었다. 또한 대공무기로는 3인치 4.7인치 대공포 1,017문이 배치되어 있었다.

1941년 11월 27일 "하와이"의 육군 사령관 "쇼트(SHORT)" 장군과 태평양 함대 사령관 "킴멜(Kim Mel)" 제독은 각각 워싱턴 당국으로부터 대일전쟁에 임박했다는 경보를 접수했다. 그러나 이 두 사령관은 이 경보를 전투경보로 받아들이지 않고 적절한 조치를 하지 않았다. "쇼트" 중장은 하와이 주민의 37%를 차지하고 있는 일본인(약 16만명)에 의해서 야기될지도 모를 폭동에 대비하여 대공포부대를 포함한 모든 부대를 폭동 진압작전을 위해 집결시키고 있었다. 12월 3일 "킴멜" 제독은 워싱턴으로부터 해외에 있는 일본대사관들이 암호를 파기하고 있다는 정보를 입수했으나 이를 "쇼트" 장군에게 통보하지 않았다. 더구나 그는 운명의 1941년 12월 7일에도 아무런 대책도 세우지 않은 채 진주만에 입항한 함대를 정연하게 정박시킨 채 대부분의 장병을 외출시켰다. "쇼트" 장군은 해군이 계속 초계를 실시 중이므로 조기경보가 있으리라 믿었고, 한편 "킴멜" 제독은 대공경보부대가 24시간 운용되고 있으며 육군이 진주만에 대한 방어태세를 갖추고 있으리라 믿었다.

3) 일본해군 제1항공 함대의 기동

1941년 11월 26일 제1항공 함대는 "히토갑부" 만을 출항하였다. 기동함대는 "나구모" 중장의 지휘하에 항공모함 6척, 적함 2척, 순양함 3척, 구축함 9척, 잠수함 3척 및 유조선 8척으로 구성되어 있었다. 6척의 항공모함 탑재기는 총 423기였으며 그중의 360기(수평폭격기 : 104, 급강하폭격기 : 135, 뇌격기 : 40, 전투기 : 81, 잔여기는 함대 호위용)가 공격에 참가하였다. 기동함대는 완전히 무선침묵를 하는 한편 일본 내역에서는 이를 기만하기 위한 작전을 실시하였다. 12월 2일, 개전일을 12월 7일로 한다는 명령을 접수한 기동부대는 계속 항진하여 12월 6일 밤 하와이 북방에 도달하였다. 진주만은 다른 일요일과 마찬가지로 美 태평양 함대 주력이 고스란히 정박하고 있었다. 일본은 개전 전부터 교묘한 방법으로 각종 첩보망을 통해 정보를 입수하고 있었으며 일본함대는 공격직전 최종적으로 대본영의 진주만 전력의 확인전문을 수신하였다. 당일 진주만에 정박 중인 함선은 전함 8대, 준 순양함 3대, 경 순양함 6대, 구축함 29대, 잠수함 5대, 기타 등계 94척이었다.

4) 기습의 성공

가장 중요한 공격목표인 미태평양 함대의 항공모함이 기대와는 어긋나게 진주만에 정박해 있지 않았으나 굵직한 목표물이 예상대로 있음을 확인하고 "나구모" 제독은 공격을 결심하였다. 아직 어둠이 깔려있던 1941년 12월 7일 06:00(하와이 시간) 하와이 275일 지점에서 공격의 제1파 183기가 모함을 떠났다. 이러할 즈음 미군은 두 가지 중요한 경보를 그냥 흘려버리고 말았다. 그 하나는 12월 7일 03:35(하와이 시간) 이후 몇 차례에 걸쳐 일본 잠수함이 접근하는 것을 탐지할 수 있었고 그중 한 척은 06:51에 미구축함에 의해 한 척은 07:00에 해군 항공기에 의해 격침당하였다. 또 하나의 경보는 6개의 레이더 중 최북단에 위치한 레이더기지가 07:00 직후 100대가 분명히 넘는 대비행군(大飛行群)을 포착하였다. 그러나 이 중요한 경보가 정보센터에서 당일 비행예정이던 B-17기 12대로 해석되고 말았다. 07:55에 공격은 개시되었다. 폭격기와 뇌격기들이 진주만을 강타하고 있을 동안에 전투기들은 활주로에 질서정연하게 정렬해 있는 미군기들을 향하여 총격을 가했다. 고도로 훈련된 뇌격기들은 미함대에 큰 손실을 입혔다. 08:25에 제1제파의 공격에 이어 08:55분에 주로 급강하 폭격기와 수평폭격기로 구성된 제2제파(171기)가 "오아후" 도 동쪽으로부터 공격하여 왔다. 09:45까지 일본기들은 "오아후" 도를 떠나 13:30에는 모함에 수용되어 하와이 수역을 신속히 이탈하여 귀항하였다.

다. 전　　과

　　불과 2시간 남짓 동안의 일본기들의 공격으로 미태평양 함대와 하와이 공군
은 치명적인 타격을 입었는데 손실을 비교해 보면 다음과 같다.

1) 항공기 및 함선 손실비교

구 분	보 유		대 수	손 실	비 고
	분 류				
미 국	항공기		394	347	
	함선	전　함	8	8	4척 반파
		중 순양함	3	1	
		경 순양함	6	3	
		구 축 함	29	3	
		잠 수 함	6		
		기　타	43	4	
		계	446	362	
일 본	항공기		360	102	대공포 74
	함선	전　함	6		
		중 순양함	2		
		경 순양함	3		
		구 축 함	9		
		잠 수 함	3	1	
		기　타	8		
		계	826	1	

2) 병력손실은 미군 측만 3,581명(전사 : 2,403명)이었다. 위에서 제시한 손
실은 미국 측과 일본 측의 자료에 상당한 차이가 있다. 이 기습공격으
로 일본군은 세 가지 큰 이점을 얻게 되었다.

　　첫째, 미태평양 함대가 완전히 행동불능의 상태에 빠져 그것이 재정비
되어 본격적인 반격을 개시할 수 있는 데에는 2년이란 기간이 소요되
었다.

둘째, 일본군은 남방침공 일본군의 측방을 크게 위협할 미태평양 함대를 무력화시킴으로써 행동의 자유를 확보할 수 있었다.

셋째, 일본군은 이제 방위권을 확대 증강시킬 수 있는 시간적 여유를 가질 수 있게 되었다. 그러나 이러한 이점 확보에도 불구하고 일본군은 기습의 제1목표이며 장차 작전에 지대한 영향을 미칠 美 항공모함을 격파하지 못한 것과 태평양함대의 유일한 완전시설 기지인 진주만의 유류정장 시설과 기타 시설물을 파괴치 못함으로써 美 해군의 재건에 치명타를 가하지 못한 아쉬움이 남는 공격이었다. 또한 선전포고도 없이 기습공격으로 가함으로써 미국의 여론을 집중시켜 대일전에 임하게 하였음이 가장 과오였다고 일부에서는 지적하고 있으나 만일 미 태평양 함대를 그냥 내버려 둔 채 남방침공을 감행하였더라면 초전에 일본군이 남방에서 큰 전과를 얻을 수 있었을 것이라고 생각하는 군사 전문가는 없다.

라. 분 석

1) 해역과 해안경계를 해군과 육군이 구분 담당으로 책임한계가 불분명

2) 레이더 장비의 부속품과 운용요원 부족으로 대공경보 임무수행 소홀

3) 항공기와 대공포를 한곳에 집결시켜 적의 공습에 큰 피해 발생

4) 지휘관이 전시에 나태한 근무자세와 상호 협조관계 미흡

5) 육·해군은 서로 경보를 제공받을 것으로만 생각하는 안일한 경계근무

6) 휴무일 및 취약시간에 대공감시가 소홀(시간적인 기습성공).

7) 적의 기습공격 징후가 여러 면에서 뚜렷한데도 경보를 미 전파

8) 대량 항적에 대한 레이더 포착을 당일 비행 예정기로 오판

9) 일본군은 무선사용을 통제하여 완전한 기도비닉을 달성

마. 전 훈

1) 아군의 비행계획이 있는 항적이라도 반드시 확인

2) 대공포 운용에 있어서 항시 적 기습공격에 즉각 대응할 수 있도록 대비 태세 유지를 하고 피폭시 피해를 최소로 하기 위해서 분산 배치 / 운용

3) 항공기는 짧은 시간에 기습공격이 가능하므로 신속한 경보전파가 선결 조건

4) 휴무일과 취약시간일수록 대공감시를 강화

5) 타군과의 통합지휘체제를 확립 필요

제 4 절 한국전쟁

1. 개   요(1950. 6. 25. ~ 1953. 7. 27.)

가. 전쟁의 원인

1) 외적 요인

미국은 유럽위주의 방위중점 정책을 고수하여 주한미군을 철수하고 극동 방위선에서 한국을 제외시키는 등 소련의 한반도 적화야욕을 고무시키는 역조현상을 초래하였다. 이에 따라 2차 세계대전 후 소련의 대한반도 정책은 팽창주의적 정책으로 노골화되어 서로의 필요성에 의해 3각 협력체제 완성(소련, 중공, 북한) 등의 분위기가 조성되었다.

2) 내적 요인

가) 병력 및 장비면 : 모든 분야에서 북한군에 비해 열악하였고, 장비에 있어서 우리는 훈련 및 연습용 장비를 확보하고 있었기에 전쟁초기에 북한의 공격에 적절히 대응하지 못한 이유가 되었다.

구 분	한 국 군	북 한 군	비 고
병 력	105,572명	198,380명	1 : 2
전 차	0	242대(T-34)	-
야 포	91문(105mm)	252문(122, 76mm)	1 : 6
박 격 포	960문	1,467문	1 : 1.5
장 갑 차	27대	54대	1 : 2
항 공 기	22대(연락, 연습기)	211대(전투기)	1 : 10
함 정	28척	30척	1 : 1

나) 훈련 및 전투경험면

구 분	한 국 군	북 한 군
훈련	· 대부분 중대훈련 수준 · 대대급 훈련 완료부대 　: 16개 대대	· 1949. 2. 보·전·포 협동훈련 · 1950. 남한일대 지형연구, 　사단급 야외 기동훈련
전투 경험	· 비정규전 : 공비토벌 작전, 　　　　　 38선 일대 분쟁 · 정규전 : 일본군 출신(극소수) · 사단급 이상 지휘경험 : 김홍일	· 한인계 중공군 부대 입북 　(1949. 1. 하얼빈 협정) · 한인계 소련군 입북(5,000명) · 사단급 이상 지휘경험자 : 다수 　(김무정, 방호산, 이권무 등)

다) 국내정세는 정치적으로 혼란(정당 난립과 집권당 세력 미약)하고 경제적으로 곤란(식생활 해결에 급급, 인플레이션 현상심화, 국토 분단으로 인한 경제적 불구현상 등)하였으며, 남로당 및 무장공비들의 활동으로 혼란하였고 군내에도 지휘체제 문란, 건제부대 월북사건 등으로 어수선한 상태였다.

나. 전쟁기간 중 피해

1) 인명 및 총손실

구　분	공 산 군	아　군	
		한국군 및 유엔군	한국 민간인
인　원	150만 ~ 200만	50만	100만

2) 주요 군사장비 손실

구　　분	항 공 기	전　　차
한국군 및 유엔군	1,992대	777대
공 산 군	2,186대	1,178대

2. 방공작전

가. 개 요

1) 전투기간 : 1950. 6. 25 ~ 1953. 7.
2) 전투국가 : 국군(대공사격부대) 및 미군(고사포) 대 북한공군
3) 전투장소 : 서울 상공, 수원 상공, 북한 상공

나. 전투경과

1) 개 황

1950년 6월 25일 북한의 불법남침으로 야기된 한국전쟁은 우리에게 많은 교훈을 남겼다. 敵 공군 전쟁초기에 공중우세권을 장악하고 주요 비행장과 교통시설을 무차별 폭격하는 한편 지상부대의 증원을 사전에 차단하는 등 자유로운 공중활동으로 아군에게 많은 피해를 가했다. 이 당시 아군의 대공방어 능력은 거의 전무한 실정이었으나 美 극동군이 참전하면서 마침내 제공권이 회복되고 지상군 고사포부대가 운용되기 시작하였다. 북한군은 1949년 초에 공군을 창설하고 동년 3월에는 소련과 체결된 비밀군사 협정에 따라 IL-10형 및 YAK-10형 전투기를 인수하여 공군력을 증강하기 시작하였으며 남침 당시에는 평양에 항공사령부를 두고 실용전투기 200대를 보유하고 있었다.

이에 비하여 한국 공군력은 1948년 9월 13일 미군으로부터 L-4형 연락기 10대를 처음으로 인수하여 도합 20로서 1949년 10월 1일 공군으로 독립 창설되었다. 그 후 공군력을 강화하기 위하여 미국에 전투기 지원을 요청하였으나 좌절되자 50년 5월 14일 국민의 성금으로 캐나다로부터 T-6형 연습기 10대를 구입하여 공군은 전쟁 발발 당시 연락 및 연습기 총 24대를 보유하였을 뿐 전투기는 한대도 없었다.

2) 경 과

북한군은 남침당시 한국 공군을 과소평가한 나머지 공중에서 아무 방해없이 그들의 공군 능력만으로도 전쟁을 충분히 수행할 수 있다고

믿었으며 주공격목표를 비행장과 교통시설에 두고 있었다.

북한 공군은 38선 전역에서 지상군의 불법 남침이 감행되었던 당일 시계가 양호해지자 10:00에 한국전쟁사상 최초로 공중활동을 개시하였던바 적기 2대가 김포 및 여의도 공군기지에 내습하여 정찰활동을 마치고 사라졌다. 그 후 북한 공군은 전투기에 의한 계속적인 공습으로 아군작전에 막대한 타격을 주었으며 제공권을 완전히 장악하였다. 6월 25일 12:00경에는 YAK기가 서울 상공에 내습하였으며 김포 및 여의도 비행장과 용산 부근에 기총사격을 가하였다. 이로 인하여 김포비행장에서는 연료고가 피격되어 화염에 쌓였다.

적의 남침당시 아 지상군은 1문의 대공포도 없어 적기를 맞아 싸우게 되었으니 지상군의 효과적인 방공작전은 전혀 기대할 수가 없었다. 그 당시 수도 서울에 대한 대공방어는 제8연대 제1대대에서 중앙청과 마포 그리고 남산에 구경 50 기관총을 배치하고 적의 공중공격에 대비하고 있었다. 그 중 남산에 배치된 대공포 사격조가 6월 27일 서울 상공을 내습한 적 YAK기 1대를 격추시킨 전과를 올렸다. 그러나 적의 전차는 6월 28일 01:00에 미아리의 아군 저지선을 돌파하고서 서울시내로 침투하기 시작하였으며 아군은 각 요소에서 폭약을 휴대하고 전차에 저항하는 한편 제8연대 제1대대 대공포 사격조에서는 침입하는 전차에 기관총 사격을 집중하였으나 아무런 손실을 주지 못하고 마침내 서울이 적의 수중에 들어가고 말았다.

미군의 최초 고사포부대 운용을 보면 6월 29일 일본에 주둔하고 있던 미 507고사포대대 소속의 M-55 고사포 4문과 33명의 장병이 11:30에 수원비행장에 도착하여 비행장 경계에 들어갔다. 이것이 한국에 처음으로 배치된 고사포 부대이다. 이 날 16:15에는 적기 4대가 이곳을 공습하였는데 고사포부대는 이 중 1대를 격추하고 1대를 반파하였으며 20:05에 재차 내습한 적기 3대를 맞아 대공사격을 집중하여 도주케하였다. 적기가 내습할 때마다 피해를 입던 수원비행장 고사포가 배치되면서 안정을 되찾게 되었고 맥아더 원수는 무사히 시찰을 마치고 일본에 도착 즉시 미 지상군 참전을 강력히 주장하는 보고서를 미합참 본부에 급송하였는데 보고서를 검토한 워싱턴 당국은 6월

30일 미 지상군 부대의 참전이 승인되면서 스미스 특수 임무부대가 투입되고 이어서 美 제 24사단의 주력부대가 속속 한국에 도착하였는데 그 중에는 사단 편대부대인 제26고사포 부대가 포함되어 있었다.

그 당시 일본에 주둔하고 있던 극동군 보병사단 미육군성의 예산 제한과 병력획득의 난점 때문에 편제상 100%를 유지할 수가 없어 부대를 통폐합 또는 감편 운용하였는데 고사포부대도 편제상 1개 포대로 감소운용하고 있었다.

그리하여 美 지상군이 한국에 투입되면서 건제가 유지된 고사포부대가 본격적으로 운용되기 시작하였으며 이 고사포부대는 비행장 방어에 우선을 두고 배치하였으나 적의 공중활동이 제한적인 상황에 있었으므로 대부분의 고사포는 지상부대의 철수엄호와 역습지원 등 주로 지상전투를 지원하였다.

7월 3일 서울에 침투한 북한군이 한강을 완전히 도하하고 그 주력의 공격기세가 계속 남쪽으로 지향되자 아군은 수원-대전선으로 지연작전을 전개하였는데 이 당시 미군 고사포부대가 지상전투에 참가하여 지상방어 임무의 한몫을 담당하였다.

7월 6일 평택을 점령한 적은 계속 남하하여 금강을 도하한 후 공주를 거쳐 논산-대전線으로 우회하여 대전포위를 기도하고 있었다. 미 제24사단은 7월 12일 금강남안으로 철수하여 적을 지연하고 있었으며 이때 제26고사포대대 A포대는 사단지휘소가 위치한 대전비행장의 대공방어를 위해 배치되었는데 그 중 1개 소대를 사단 예비인 제21연대를 지원토록 임무를 분할하고 지상전투 지원에 운용하였다.

7월 19일에는 미 제24사단 제34연대 1대대가 대전 서북방 유성-대전간에서 방어 중 적의 YAK기가 대전 비행장을 공습하였는데 이 부대를 지원하고 있던 미 제24고대포대대 A포대가 유성상공에서 적기 2대를 격추하였다.

美 제24사단이 대전철수를 지원하기 위해서 美 제1기갑사단이 7월 22일 영동일대에 투입되었는데 동사단 예하 제8기갑 연대 제1대대는 영동 서북쪽 5.5km 지점의 금강에 연하여 진지를 점령하였다. 사단 편제부대인 제92고사포부대 A포대는 제8기갑연대 제1대대를 직접지

원하고 있던 중 7월 23일 아침 적이 전차를 선두로 동대대 전면에서 도하를 시도하였으나 3.5인치 로켓포로 적전차 3대를 격파하고 고사포대대의 구경 50기관총과 37MM포의 집중사격으로 적의 도하를 저지함으로써 적은 이날 종일토록 강을 건너지 못하였다.

한국전쟁에서 고사포부대는 각종 형태의 지상전투를 지원하면서 많은 전과를 올리게 되었으나 이는 어디까지나 적이 공중활동에 제한을 받고 있던 관계로 고사포부대의 임무를 지상지원으로 전환이 가능했던 것이다.

그 후 다시 반격작전을 거쳐 휴전선이 성립될 때가지 고사포부대의 작전은 대부분 지상 전투지원으로 일관되었다.

다. 전 과

한국 전쟁사에 기록된 미군 고사포부대의 주요 전과는 다음과 같다.

부 대	예 속	내 용
제507대대 (1개 소대)	제8군	• '50. 6. 29. 수원비행장 방어 중 　　　　YAK기 1대 격추 1대 반파
제26대대 (M16 40mm 쌍열)	제24 사단	• '50. 7. 19. 대전지역 전투시 YAK기 2대 격추 및 철수작전 지원 • '50. 8. 창녕지역 전투시 역습지원
제92대대 (M16 40mm 쌍열)	제1기갑사 단	• '50. 7. 영동지역 하천방어 작전지원
제82대대 (M16 40mm 쌍열)	제2사단	• '50. 8. 낙동강 방어작전 지원 • '50. 9. 창녕지역 특수임무 부대의 　　　　추격 및 도하작전 지원 • '53. 6. 중부전선 북진능선 및 금화지역 　　　　방어작전 지원
제10고사포병단 제78대대 (90mm)	제1군단	• '50. 9. 한국군 제1사단 반격작전 지원 • '50. 10. 한국군 제1사단 평양탈환작전 지원 • '50. 11. 한국군 제1사단 철수작전 지원
제15대대 (M16 40mm 쌍열)	제7사단	• '50. 11. 두만강 진격작전 지원(갑산지역 전투)
3대대	제10군단 제3군단	• '50. 12. 21. 홍남 철수작전 지원
제21대대 (M16 40mm 쌍열)	제25사단	• '51. 1. 수원지역에서 　　　　제1군단 및 25사단사령부 대공방어
제60대대 (M16 40mm 쌍열)	제9군단	• '53. 6. 중부전선 작전 지원 • '53. 7. 금화지역 방어작전 지원

라. 분 석

1) 아군의 초기 방공전력이 미비로 초기전투에서 제공권 장악 실패

2) 북한군은 미 극동군 참전에 따른 美 극동군의 상대적인 공군력 우세로 제공권 상실

3) 미군의 고사포부대는 적기 내습에 의한 일방적인 피해에서 대공방어 진지를 구축함으로써 고사포 위력을 발휘

4) 제공권 장악 후 미고사포 부대는 대부분 지상군 지원 임무를 수행

마. 전 훈

1) 전시 신속하고 정확한 정보는 전승의 지름길이 된다는 사실을 명심

2) 현대전에서는 방공전력이 필수불가결한 전력이며 전쟁의 승패가 좌우되는 만큼 방공무기의 성능개선은 물론 평시 고도로 숙달 필요

제 5 절 월남전쟁

1. 개 요

가. 1단계(1945. 9 ~ 1954. 7) : 프랑스 식민지 정책과의 투쟁

1) 프랑스 군의 상륙을 거부하기 위해 베트남 민주 공화국군은 화포와 전차를 사용하여 정규전으로 대항했으나 실패하고 모택동의 이론을 이어받은 보·구엔·지압의 지도하에 게릴라전에 돌입하였다.

2) 베트남은 전면 반격작전을 개시 프랑스군의 주력을 섬멸시키기 위해 디엔 비엔 푸(1954. 3. ~ 1954. 5. 8.)에 대한 공격을 시도했다. 우세한 화력과 적극적인 공중지원에 최초 주도권을 장악했던 프랑스군은 그 후 몬순기후 때문에 공중지원이 부진해지자 베트민에게 생명선인 비행장을 탈취당했고 좁혀오는 포위망에 더 이상 지탱이 불가능하여 항복하고 말았다.

3) 프랑스군의 항복으로 세계의 여론은 나쁘게 들끓었고 1954년 7월 20일 제네바 협정을 체결하여 17도선을 기준으로 월맹군은 이북, 프랑스군은 이남으로 집결하게 되었으며 1956년 7월까지 남북 총선거를 할 것을 조인했다.

나. 2단계(1954. 8. ~ 1973. 1.) : 미국의 본격적 개입

1) 미국은 월남에서 공산세력의 봉쇄라는 명분하여 월남전선에 뛰어들었다. 한 국가가 공산국가가 되면 그 이웃국가도 차례로 공산국가가 된다는 도미노 이론에 근거를 둔 미국의 정책에 따라 개입했으며 1973년까지 18년 동안 지속되었다.

2) 1956년 총선거가 유산되고 미군의 지원하에 들어선 고딘디엠 정권은 독재와 부정부패, 무능으로 1960년 12월 20일 베트남 민족해방전선, 즉 베트콩을 탄생시켰다.

3) 1963년 11월 1일 고딘디엠 정권의 붕괴, 1963년 11월 22일 케네디의 암살, 1964년 8월 통킹만 사건을 계기로 월남에서는 이미 1962년 2월 8일에 설치된 미 군사원조 사령부를 중심으로 미국의 적극적인 군사력 투입이 활발해진다.

4) 1968년 미국은 지상군이 550,000명에 이르는 최고의 파월 수준을 유지하였고 계속되어온 부분적인 폭격은 중지했다. 1973년 1월 28일 5년이나 계속되어온 회담의 결과로 파리 평화회담에서 정식으로 파리 평화조약이 조인되어 미국 개입의 막을 내렸다.

다. 3단계(1973. 2. ~ 1975. 4. 30.) : 미군철수와 월남패망

1) 파리협정에는 공산군의 철수를 요구한 조항이 없고 미군만 철수하는 조항이 있음으로 공산주의자들은 이를 이용하여 월맹 대부분의 병력을 남쪽에 주둔시켜 장차 정치협상을 유리하게 전개시키고자 했다.

2) 파리협정에 의해 설치된 감시위원회는 협정의 실행을 조정, 감시하는 기구였으나 헝가리와 폴란드 대표들은 간첩행위 등을 통해 공산주의자들은 적극적으로 도와주어 본래의 목적에 벗어난 행위를 계속함으로써 국제기구로서의 권위를 상실하게 되었다.

3) 공산주의자들의 파리협정을 준수해 줄 것을 믿어 왔으나 무참히도 그들의 희망은 깨어졌으며 마지막 희망은 미국의 대폭적인 원조였는데 당시 약 4만 5천명의 젊은 미국인을 희생시킨 월남전에 대해 미국내의 여론은 이미 닉슨 대통령의 편에 있지 않았다.

라. 월남 최후의 날

1975년 4월 25일경 공산군의 선발대가 사이공시 외곽지대에 대한 공격을 개시하여 4월 30일 10:00시 지구상에 월남이라는 국가는 영원히 사라지고 만 것이다.

2. 방공작전

가. 개 요

1) 전투기간 : 1954. 8. ~ 1972. 8.

2) 전쟁국가 : 월남(미국) 대 월맹

3) 전투장소 : 월맹 성공

나. 전투경과

1) 월맹의 방공망

1964년에는 지대공 미사일을 보유하지 않았으며 재래식 대공화기 약 700문이 인구 밀집지 및 군사시설을 방어했고 1965년 2월 대공화기를 1,400문에서 2,100문으로 증강했으며 1966년 말경에는 SAM 기지는 총 150개에 달하였다. 이렇게 하여 1968년 4월 말까지는 SAM 기지가 300여 개로 늘어났다. 월맹의 대공화기는 철저하게 중점방어의 배치였고 SAM 기지의 반수 이상이 하이퐁과 하노이 주변에 집중되어 있었다.

월맹이 제공받은 미사일 수 는 약 6천발로 추산되며 그중 약 5천발을 소모한 것으로 평가하고 있다. 원래 대규모 고정식 레이더 사이트는 파괴하기 쉽지만 월맹의 이동식 진지는 점 목표물이 되어 공중공격의 경우 교량파괴처럼 어려웠다. 특히, 레이더 파괴가 어려웠던 것은 그것을 방호하는 대공화기 때문이었다. 한 자료에 의하면 F-105 경우 반경 30m 정도안에 폭탄이 반 이상 명중했다. 그러나 대공화기로서 방어되면 이것이 180m로 커지고 반경이 6배이므로 36배의 면적에 흩어지게 된다. 따라서, 훈련시 교각하나를 파괴하는데 16발로 적중하지만 실전의 경우 며칠 걸려서 총 600여 대에 의해서 겨우 적중시키는 정도였다. 월맹은 1965년 중엽에 소련제 SA-2 지대공 미사일을 도입함으로써 월남 항공전에 새로운 차원을 터놓았다. 이 무기는 과거 미군이 체험한바 없는 정교한 무기였다. 최초에는 하노이 지역에 SA-2를 설치하였고 점차적으로 군사시설, 인구밀집도시 그리고 주요 병참선을 방어하게 되었다.

SAM 부대들은 미군기의 공중공격의 피해를 감소시키기 위하여 불규칙적으로 다른 기지로 이동하였다. 그 결과로 생존성은 어느 정도 보장이 되었지만 산발적인 작전능력을 가지게 되었다. 장비자체는 도로상에서 수송할 수 있었으나 SAM 체제의 신뢰성과 정확도에 큰 문제를 일으켰다. SA-2는 그 위협을 무시할 수 없는 무기이지만 약점과 제한점이 많은 무기여서 이러한 본질적인 결점과 제한된 사정거리 때문에 전반적인 방공을 보완하기 위해서는 재래식 대공포의 보강이 필요하였다.

재래식 대공포는 레이더 통제의 85mm와 100mm 대공포를 상당수 가지고 있었다. SAM과 마찬가지로 대공포들은 노출을 피하기 위하여 그리고 공중공격에 대응하기 위하여 이동함으로써 큰 신축성을 보여주었다. 1964년 월맹공군은 MIG-21을 포함한 상당수의 항공기를 보유하게 되었고 월맹에서 처음으로 전술항공기가 나타났다. 따라서 월맹공군은 MIG-21을 포함한 상당수의 항공기를 보유하게 되었다.

MIG기와 교전은 산발적이었지만 그들은 기습기회가 있을 때마다 공격을 가해왔다. 월맹은 레이더 장비를 전쟁전의 약 15배로 증가하였다. 월맹의 영토는 비교적 좁기 때문에 방어지역이 서로 중첩되도록 레이더를 배치하여 높은 신뢰성과 전투 생존성을 가지고 있었다.

이러한 위협에 대응하기 위한 미군기들은 향상된 공격전술과 전자방해를 병용함으로써 월맹 상공에서의 항공작전을 효과적으로 수행할 수 있었다. 미국의 전투기에 전자장비를 장착함으로써 적의 레이더 통제무기에 대하여 탐색 및 격파능력을 가지게 되었다. SAM위협이 높은 곳에서는 SAM과 대공포를 피할 수 있는 중간고도에서 작전하였다. 66년말 미군측은 월맹상공에서 450대의 항공기를 잃었으며 그중 6%(30대)가 SAM에 의하여 격추되었으며 미그기와의 공중전에서 약 2%(10대)의 손실을 보았지만 공중전에서 적기를 370대나 격추시킴으로써 1 : 37의 비율을 나타냈다. 그 나머지는 모두 대공포 및 소화기에 의한 피해였다(대공포 및 소화기에 410대 피격).

2) SAM 운용

소련제 SA-2 미사일은 명중률이 약 5% 밖에 되지 않았음에도 불구하고 미군기들은 저공으로 비행하도록 강요함으로써 대공화기에 격추당하도록 강요하였다. '65년 7월 24일 미군기 F-4C 1대가 SAM에 의하여 격추됨으로써 SAM의 위협은 현실화되었기 때문에 美 공군과 해군은 그 미사일의 효력을 격퇴할 수단을 개발하는데 노력하였다. 월맹상공에서 SAM 공격을 처음 받았을 때 조종사들은 새로운 위협에 심각한 우려를 나타내었다. 그러나 그 후에 SAM이 자주 실패하는 것을 보자 조종사들의 태도가 달라졌다. 차차 SAM 보다도 재래식 대공화기의 위협이 더 크다는 것을 알게 되었다. 美 공군과 해군은 VC처럼 SAM 발사대를 탐지하고 격파하는 일이 매우 곤란하다는 것을 알았다. '65년 여름, SAM 기지를 처음 공격하였으나 성공하지는 못하였다. 기지 자체는 있었지만 미사일과 레이더의 행방은 알 수 없었던 일이 한두 번이 아니었다. 위장과 기만 때문에 기지의 위치를 알기 어려워 미 공군기들은 위장진지를 공습한 일이 있었다.

'65년 가을에 와서 비로소 전자방해 장치가 개발되어 사용하게 되었으며 이로써 공격 항공기에는 현재 작전 중인 SAM 기지의 위치를 실시간에 제공하게 되었다. 레이더 호밍장치를 가진 선도기를 탐색 및 격파 역할에 동원한 것은 '65년 가을부터였다. 선도기는 SAM 기지 상공을 비행하면서 SAM기지의 위치를 가리키면 뒤따르는 공격 항공기들이 폭탄과 로켓을 공격을 가하였다. SAM은 몸체가 크기 때문에 발사된 SAM을 찾아내기 쉬웠고 특히, 낮에는 미사일의 후미에서 뿜는 한줄기 흰 연기로 빨리 발견할 수 있으며 야간에도 배기 광채가 밝기 때문에 쉽게 찾아낼 수 있었다.

SAM 진지 자체는 레이더 통제무기를 포함하여 재래식 대공무기로 엄중히 방어되어 있기 때문에 SAM 기지를 공격하는 항공기에는 큰 위협이 되었다. 그러나 월맹의 SAM은 결점이 많은 무기로서 미 공군기들에게 맹렬한 공격을 감행하였어도 큰 성과를 보지 못했다. 미군기들은 새로운 전술과 전자방해기술을 도입하여 SAM의 능력을 현저하게 저하시켰다. 미국 항공기에 대한 성공적인 SAM 발사가 있었던 '65년 7월 24일 이후 '66년 6월 말까지 약 300발의 SAM이 발사되었으나 불과 15대의 미군기를 격추시켰을 뿐이다.

3) 대공포 운용

1965년 2월 중순에 대공화기는 2,100문으로 주력 대공화기는 사격통제장치가 달린 37mm 대공포이며 일부 57mm 대공포도 사용되었다. 당시 월맹이 중시한 방호대상은 병참선상의 주요 교량과 레이더기지 그리고 VC 보급기지였으나 대공무기의 수량이 부족하여 중요한 방어목표에 집중 배치하였다.

따라서 미군기들이 레이더기지나 교량을 공격할 때 대공포 화력이 맹렬하였다. '65년 4월 4일 돈포교에 대한 미군기의 공중공격에 있어서 미군기는 기습을 받아 2대가 격추되고 57mm 및 37mm 대공포의 격렬한 사격에 의하여 10대가 격추됨으로써 당일 출격대수의 20%를 잃었다. '65년 11월 5일 어느 SAM진지를 미군기가 공격했을 때 SAM에 의하여 1대 재래식 대공포에 의하여 4대, 총5대가 격추되었다. 이것은 월맹의 SAM과 대공포의 혼합배치 내지는 SAM진지에 대한 대공포의 엄호라고 볼 수 있으며, 또한 저공 공격에 대한 대공포의 효과를 보여주고 있다. '66년 월맹군의 대공포는 37mm, 57mm, 87mm, 100mm포 등 재래식포를 7,000 ~ 10,000문, CAL-50 이하의 기관포는 무수히 배치되었다. 각종 대공포의 혼합배치는 레이더기지, 교량 등 중요 방어목표 주변에 직접배치 및 저공 접근로로된 하천도로 양측에 배치하여 집중 십자화망을 구성하도록 배치하여 각종 포화의 유기적인 연결이 행하여 졌다. 또한 위장진지를 일부러 노출시켜 이것을 공격하려는 미군기를 자기의 대공포화에 유리한 방향으로 유도하는 위장전법을 자주 사용하였다. 즉, 위장기지 상공을 비행하는 미군기에 대하여 SAM 1발을 발사하고 미군기가 이것을 회피하기 위하여 저공으로 급강하할 때 화망의 중심점에 유인하여 미군기를 격추하였다. 특히 월맹군의 대공포 사수들은 사격술이 우수하였을 뿐만 아니라 매우 공격적이었으며 공중공격을 개시전에 사격을 개시하여 미군기의 맹렬한 폭격 속에서도 사격을 중단하지 않았으므로 미 공군은 재래식 대공포가 더욱 위험하였다. 미 공군은 종래의 SAM 일변도를 반성하고 발칸포 등의 대공포와 재래식 대공포의 유효성과 그 중요성을 재인식하게 되었다.

다. 전　　과

미국의 발포에 의하면 '72년 8월까지 월맹 상공에서 미군기의 피격 대수는 999대였으며 미군기가 월맹 상공에서 격추시킨 월맹 군용기는 136대였다. 이것은 단적으로 월맹의 방공이 전사상 그 유례가 없을 만큼 막강하였다는 반증이 된다. 공중전에서는 미군기가 압도적으로 우세하였지만 전쟁말기에는 그 격차가 줄어들었으며 그 실례로서 '72년 4월부터 8월까지 공중전에서 미군측은 24대 격추의 전과를 올렸지만 아군측 손실은 18대로서 4대 3의 스코어로 육박하였다.

'72년 8월까지 월맹 상공에서 미군기 손실을 분석하면 공중전에 의한 것이 131대, 대공포에 의한 것이 802대로 총 999대로서 80.2%가 대공포에 의하여 격추됨으로써 대공포의 진가가 월남전에서 재인식되었다.

라. 분　　석

1) 월맹은 戰史上 그 유례를 찾을 수 없는 지상 방공망이 막강함

2) 대공포에 의하여 80.2%(802대)에 달하는 미군기가 격추됨

3) SA-2의 기동력은 생존성은 보장되었으나 명중률은 저하됨

4) 월맹은 대공포를 중점배치 또는 혼합배치하였고 집중화망을 형성하며 위장기지로 유인하여 격추시킴

5) SAM은 발사시 연기와 배기광체로 쉽게 발견되어 항공기가 회피할 수 있는 결점을 지님

6) 대공포 운용요원들의 철저한 교육훈련으로 성과

마. 전 훈

1) 대공포의 집중배치 운용의 효율성이 입증됨으로써 대공포 운용 및 대공무기 개발에 많은 영향을 줌

2) SAM과 대공포의 혼합운용은 무기체계가 다른 방공무기들과 혼합배치 운용을 중요하게 부각시킴

3) 현대전에서의 전자전은 그 중요성이 날로 증가되고 있으므로 연구개발에 끊임없는 노력을 경주

4) SAM의 기동성에 의한 저조한 명중률 보완책 강구

5) 대공포 운용요원들의 훈련정도에 따라서 대공포의 능력발휘가 좌우됨으로 실전적인 교육훈련이 필요

제 6 절 중동전쟁

1. 개   요

가. 전쟁의 역사적 배경

　　　팔레스타인 지역을 둘러싼 양민족간의 역사적 및 종교적 대립, 이스라엘의 건국(1984. 5. 14)과 아랍의 이스라엘 말살정책과의 충돌, 팔레스타인 전쟁(1948. 5. 14 ~ 1949. 2. 24 : 제1차 중동전쟁), 수에즈 전쟁 (1956. 10. 29 ~ 11. 7 : 제2차 중동전쟁) 등의 영향으로 제 3, 4차 중동전이 발생되었다.

나. 전쟁의 원인

1) 3차 중동전쟁은 역사적으로 이스라엘과 아랍국가간의 누적된 감정, 요르단 강 수로 변경, 요르단과 이집트간의 방위협정, 국경분쟁 및 아카바만 봉쇄 등의 요인이 작용했다.

2) 4차 중동전쟁은 유엔 휴전안에 대한 쌍방간의 이해상반, 국제화해 분위기에 따른 현상 휴전 가능성과 아랍측의 실지회복 집념, 아랍제국의 단결력 증대와 석유 무기화의 가능성, 소련의 지원에 의한 아랍측의 군사력 완비, 아랍측에 동정적인 국제 여론 가능성 등을 통해 예견한 전쟁이었다.

다. 전투력비교

1) 3차 중동전(1967. 6. 5. ~ 6. 10.)

구 분	이스라엘	아 랍					
		계	이집트	요르단	시리아	이라크	레바논
병 력	275,000	438,000	210,000	65,000	70,000	82,000	11,000
부 대	27개 여단	53개 여단	25개 여단	11개 여단	9개 여단	5개 여단	10개 대대
전 차	1,501	2,542	1,200	250	400	650	42
항공기	500	1,100	650	50	160	200	40
함 정	55	136	83	5	24	20	4

2) 4차 중동전(1973. 10. 6. ~ 10. 24.)

구 분	이스라엘	아 랍						
		계	이집트	요르단	시리아	이라크	레바논	사우디
병 력	300,000	1,088,000	760,000	68,000	120,000	90,000	1,000	36,000
전 차	1,700	5,145	1,955	420	1,300	1,605	120	285
항공기	488	1,139	620	52	326	224	18	70
함 정	49	168	94	8	25	30	6	5

라. 전력손실

1) 3차 중동전

구 분		이스라엘	아 랍	비 율
인 원	전 사	289명	19,600명	1 : 28
	부 상	2,563명	30,760명	1 : 12
	포 로	16명	6,504명	1 : 141
	계	3,286명	56,944명	1 : 18
장 비	항공기	26대	451대	1 : 17
	전 차	86대	990대	1 : 12
	함 정	0대	3척	0 : 3

2) 4차 중동전

공중전에서 전투기 10대의 손실을 입은 이스라엘에 비해 아랍측은 375대의 전투기, 40여대의 헬기를 잃었다. 대공무기에 의해서는 100여대의 이스라엘 항공기가 격추되었고 아랍기는 50여대가 격추되었다.

2. 3차 중동전쟁의 방공작전(6일 전쟁)

가. 개 요

1) 전투기간 : 1967. 6. 5. ~ 6. 10.

2) 전투국가 : 이스라엘 대 아랍연합

3) 전투장소 : 이집트, 시리아, 요르단, 이라크

나. 전투경과

1) 이스라엘의 공격

　　이스라엘이 오랫동안 준비하고 계획해온 바에 따라 이스라엘의 첫 공격은 기습공격으로 시작되었다. 텔아비브 시민들이 아직 잠들어 있던 1967년 6월 5일 월요일 이른 아침 4대씩 편대를 이룬 공격기들이 지중해의 아침 공기를 해치고 수면에 닿을 듯이 낮게 날며 수평선 밖으로 사라져 갔다.

　　그리고 불과 3시간 후 이집트의 공군력은 한꺼번에 소멸되었고 아랍의 전 지역에서 이스라엘 항공기의 활동을 제지할 수 있는 것은 아무것도 남아있지 않았다. 그만큼 이스라엘공군의 기습은 완벽한 성공을 거두었다. 그리고 이로써 전쟁개시 불과 수 시간 내에 제공권은 이스라엘의 수중에 장악되었다.

이스라엘의 침투기습에 대비하여 수없이 건설된 아랍의 레이더기지와 이집트는 시나이에 있는 16개 도서를 포함 23개 기지를 가지고 있었고, 특히 이스라엘에 근접해 있는 요르단의 아즈룬(Ajlun)에 있는 강력한 마르코니(Marconi)247 레이더기지는 가장 위협 중인 것 중의 하나였다. 지중해에 떠 있던 소련해군의 레이더를 비롯한 미 6함대와 키프러스 산정의 영국 레이더들의 긴장되고 세밀한 감시를 피해 아랍 영내로 깊숙이 침투해 들어간다는 것도 놀랄만한 일이지만, 비록 기습에 의한 것이라 하더라도 그토록 소수의 공군력으로 이집트의 18개를 포함한 총 26개의 군 비행장 곳곳에 잘 분산시켜 놓은 우세한 공군력을 그렇게 철저히 격파한다는 것은 결코 용이한 일이 아니었다. 세계는 경이의 눈으로 이스라엘이 레이더를 혼란시키고 침투할 수 있는 특수 전자장치와 신무기를 개발한 것이 아닌가 하고 의심하였다.

　　그러나 그것은 과학무기의 덕분이 아니라 인간의 힘이었다. 누구의 눈에나 불가능한 것처럼 보였지만 연구하고 노력하는 인간에게 불가능이란 없었던 것이다. 전쟁이 결정됨에 따라 이스라엘공군에게 맡겨진 임무는 언제나와 같이 적공군에 대한 공격과, 2개 대대의 호크

부대로는 결코 안심할 수 없는 이스라엘 상공의 방공임무, 그리고 지상군부대에 대한 지원의 세 가지였다.

그러나 열세한 이스라엘의 공군력으로 이 3개 임무를 위해 공군을 3분하여 임무를 수행한다는 것이 무리일 것은 물론 전력을 집중해서 적 공 대한 공격에만 주력한다 해도 그 임무달성은 매우 의심스러운 상황이었다. 이에 일찍이 체코에서 비행훈련을 받은 바 있는 39세의 공군사령관 호드(Mordechai Hod) 준장은 하나의 도박을 하기로 결심하였다.

그는 우선 가능한 전 공군력을 집중하여 아랍 내에서도 가장 강력한 이집트의 공군력을 최단시간 내에 분쇄하고 그 동안 본토는 극소수의 비행기만으로 요르단과 시리아의 항공 공격을 저지하고 있다가 이집트에 대한 임무가 끝나는 대로 병력을 전환하여 시리아나 요르단, 그리고 이라크의 공군을 격파하기로 하였다.

최초 공격을 성공시키기 위해서는 완벽한 기습이 전제되어야 할 것임은 물론이지만 모든 공격기들이 거의 동시에 각자의 목표상공에 도달하여야 했고, 한번 공격하기 시작한 적의 비행장들은 완전히 파괴될 때까지 공격이 중단되어서는 안 되었다. 이 모든 것들을 동시에 달상하여야 했으므로 각종 정보가 다시한번 재검토되어 면밀히 분석되었고 이스라엘 자신의 능력과 한계가 컴퓨터와 같이 계산되었다.

기습을 달성할 수 있는 방법이란 주로 근접방법에 따른 것이었지만 시간의 선정 역시 중요한 요소였다. 공격개시 시간은 07기 45분(카이로 시간으로는 08시 45분)이었다. 이 시간은 통상 아무도 상상하지 못하는 시간이었고 카이로 일대와 운하지역에서는 끼어있던 아침 안개가 서서히 개이는 시간이었으며, 아랍의 고위지휘관과 정부요인들의 출근시간이기도 하였다. 그리고 가장 중요한 것은 레이더기지의 근무요원도 통상 그 긴장이 해이해지기 시작하는 시간인 동시에 공중 대기하는 이집트의 항공기들도 거의 없거나 최소한으로 줄어들며 기지에 대기하는 공군 조종사들까지도 가장 많이 자리를 뜨는 시간이었다. 이러한 여러 이점들을 안고 07시 45분 호드장군은 그가 가용한 거의 전 전투기 및 폭격기들을 이집트로 발진시켰다. 출발은 각 목표 상공에 거의 동시에 도달할 수 있도록 각 제파의 임무와 그 비행기의 속력에 따라 컴퓨터처럼 정확한 계산하에 순차적으로 이루어졌으며, 수없이 많은 대공감시망의 눈을 피하기 위해 공격기들은 지중해를 멀리 돌아 우회를 하면서도 해상 150피트 정도의 저고도로 비행하였다. 각 비행장에 대해 지속적인 공격을 가할 수 있기 위해서는 통상 1개 목표당 3~4개 제파가 할당되어 교대로 공격을 감행하였다. 즉 1개 제파의 공격이 목표상공에서 평균 8~9분 이상 체류할 수 없으므로 제1파가 목표상공에서 공격하고 있으면, 제2파는 그곳으로 접근 중이었고, 다음 제3파는 공항에서 이륙 중이었으며, 또 다른 1개파는 목표 공격을 완료하고 복귀하는 중이어서 이 각제파간의 시간 간격은 약 15분 정도였다.

이렇게 지속적인 공격을 소수의 비행기로 담당하기 위한 유일한 방법은 그저 1대의 비행기가 가능한 여러 번 재출격하는 것뿐이었는데 다행히 이것은 매우 성공리에 수행되었다.

결국 이번 전쟁 중 이스라엘군은 1일 평균 7회 심지어는 10회까지 출격할 수 있었다. 이 출격횟수는 1일 1회 출격하였던 미군의 월남전은 물론이요, 1일 3~4회 정도만 출격해도 성공적이라고 생각하였던 호드자신의 판단에 비해서도 엄청난 차이가 있는 기록적인 것으로서, 실로 조종사뿐만 아니라 정비요원들을 포함한 모두가 혼연일체되어 끊임없는 훈련이 이루어낸 기적이었다. 이점이 약 290대 밖에 없는 폭격기로 그처럼 우세한 아랍 공격을 격파시킬 수 있었던 가장 큰 이유였다. 11개 기지에 대하여 지속적인 공격을 감행하는데 필요한 비행기는 이렇게 보면 44개 편대 176대면되는 것이었고, 나머지 비행기로 이스라엘 본토를 비롯한 여타 7개 이집트기지를 견제하면 되는 것이었다. 이에 비해 시나이 비행장에 있었던 MIG-17 및 19기가 에일라트(Eilate)를 공격하는 데는 평균 175분씩 소요되었는데, 이 엄청난 차이 때문에 낫세르는 이스라엘이 평소 보유한 공군력의 3배 이상을 출격시켰으며, 이것이 바로 미·영이 도운 증거라고 주장하였던 것이다.

제1차 공격이 성공하자 이제는 이집트내의 모든 비행장과 레이더 및 SA-2기지 등에 대해 맹폭격을 감행하여 소수의 SA-2 기지를 제외하고 23개에 달하는 레이더기지들을 파괴시켰다. 여기 저기서 SA-2 미사일이 이스라엘의 항공기를 향해 발사되었지만 그들은 아무런 피해도 입지 않은 채 공격을 계속하였다. 이런 식으로 10시 35분 경까지 공격이 계속되어 이제 이집트내의 비행기는 거의 없는 것으로 판단되었다. 호드사령관은 11시, 다얀수상에게 이집트내의 적공군은 완전히 소멸되었음을 자랑스럽게 보고하였다.

그런 후 이제 일부의 비행기는 시나이를 진격하는 기갑부대를 지원하면서 나머지 전 공군력으로 요르단과 시리아를 하루 종일 공격하였다.

2) 방공무기 운용

가) 아랍연합

아랍 연합군의 방공부대는 소련군의 지도에 의하여 편성되어 있어 SA-2 SAM 20개 중대 및 37/57/85/100mm 대공포로 구성되어 있었다. 대공화기로는 우수한 장비를 보유하고 있었으나 훈련의 불충분과 미숙한 운용으로 그 성능을 충분히 발휘할 수 없었으며 그들은 이스라엘 공군기 약 40대를 격추하는데 그쳤다. 방공조직의 체계를 보면

1) ZPU SYSTEM : 이 조직은 보병대대 및 연대의 방공을 목적으로 하고 있었다. ZPU-2는 2연장의 14.5mm 대공포로서 1개 대대에 4~6문이 장비되어 있다. ZPU-4는 4연장 반자동식으로 정규 대공화기 중대에 배치되어 저공비행하는 항공기에 대하여 우수한 명중률과 광범위한 화망구성이 가능하며 비행장 등의 방어에 사용하였다.

(2) ZAM SYSTEM : 표준형의 ZAM-50mm 대공포로 사격은 수동. 반자동식으로 전자식에 의하여 제어된다. 대공 전투용으로는 지

상 60 ~ 2,400피트를 비행하는 항공기에 대하여 극히 명중률이 양호하며 고도 6,000피트에서도 고도의 명중률을 갖고 있다.

(3) 100mm 고사포 : 이 대공포는 월남전에서 성과를 올려 화제가 되었던 무기로서 고정 시에는 고도의 정밀도를 자랑하며 취급이 간단하다. 그러나 지형에 제약을 받는 화기이다.

(4) SA-2 : 이 미사일은 레이더 사격통제장치를 중심으로 6기의 발사대로 구성되어 있고, 이집트군은 22발의 SAM을 발사하였으나 SAM에 의하여 이스라엘기가 격추되었다는 보고는 없었다. 이스라엘기는 적절한 SAM 회피기동을 실시하여 1대의 손실도 없었다.

나) 이스라엘

이스라엘 대공부대의 주력은 호크 2개 대대(6개 중대)로 텔아비브와 그 주변의 비행장을 방어하고 있었으나 미사일은 전혀 발사되지 않았다. 또한 40mm 및 20mm 대공포를 항공기지 주변에 배치하였으나 적기의 내습이 전혀 없어 적 항공기와 교전은 이루어지지 않았다.

다. 전　과

아랍측은 하루 동안에 이집트의 MIG-21기 90대를 포함한 전폭기 197대와 TU-16기 30대를 포함한 폭격기 57대가 파괴된 것을 비롯하여 총 410여 대를 상실하였고 전쟁이 끝나갈 때까지는 40대가 더 파괴되었다. 그 중에 공중에서 격추된 것은 폭격기까지 포함하여 불과 59대에 지나지 않았으니 실질적으로 아랍공군은 싸워보지도 못하고 그 대부분이 앉은 채로 지상에서 격파된 셈이었다. 전쟁기간 중 이스라엘은 첫날에 19대를 포함하여 전쟁 중 총 25대의 비행기가 상실되었다.

라. 전 훈

1) 정확한 정보획득은 승리를 보장함.

2) 아무리 좋은 장비를 보유하고 있더라도 숙달되어 있지 않으면 임무수행이 불가능

3) 대공포와 미사일은 반드시 혼합 운용되어야함.

4) 방공작전은 취약시간 경계가 중요

5) 고도의 조기 경보체계가 요구

3. 4차 중동전쟁의 방공작전(10월 전쟁)

가. 개 요

1) **전투기간** : 1973. 10. 6. ~ 10. 22.

2) **전투국가** : 이스라엘 대 아랍 연합국

3) **전투장소** : 시나이반도, 골란고원

나. 전투경과

1) 개 요

제4차 중동전은 '73년 10월 6일부터 10월 22일까지 17일간의 전쟁으로서 이집트 사다트 대통령에 의해서 사전 준비되고 계획된 실지회복을 위한 전쟁이었다. 이 전쟁은 일명 10월 전쟁이라고도 한다.

이 전쟁은 3차 중동전 시 이스라엘 항공기의 위력을 감안하여 방공에 역점을 두고 준비하였으며 그 특징은 양측 공히 새로운 무기를 사용함으로써 과거의 전차와 항공기 중심의 재래식 전투를 탈피하고 최신의 유도탄 무기의 실험장이라 할 수 있다. 또한 4차 중동전은 연합작전, 석유문제, 민족문제, 미·소 압력의 영향 등 복잡한 전쟁이었으며 SAM의 운용, ECM, 항공정찰, 위성정보 수집 활동 등으로 각종 교훈

을 많이 남긴 전쟁이었다.

'73년 9월 10일 카이로에서 이집트, 시리아, 요르단 등 3국 수뇌회담에서 중동문제를 군사적으로 해결한다는 방침을 세웠고 9월 13일 이스라엘은 지중해 상공에서 6일 전쟁이후 처음으로 시리아 공군기를 유도작전으로 함정에 몰아넣어 MIG-21기 13대를 격추시켰으며 이스라엘기는 단 1대만이 격추되었다. 시리아는 이를 계기로 10월 초 전국에 계엄령을 선포하고 예비역을 동원하였으며 골란고원 일대에 방어대형으로 병력을 집결 배치하였다가 전쟁 1일 전에 공격대형으로 전환하였다. 10월 6일 이스라엘의 속죄일을 기하여 13:58에 시리아 MIG-17기 5대의 골란고원 공격으로 전쟁이 개시되었다. 이집트는 공격을 14:00부터 하였다.

제1기 작전은 10월 6일부터 9일까지로서 개전 초 4일간은 예상을 뒤엎고 아랍측의 일방적인 공세로 이스라엘 군은 골란고원 정면을 유린당하고 수에즈 방면에서는 이집트 군이 도하 후 교두보를 확보하였으며, 이스라엘 공군기는 아랍측의 방공망에 여지없이 격파당하고 우선 방공망 제압에 전력을 기울여만 되었다. 이러한 방공망 제압의 노력결과 아랍측의 방공망은 후속탄약의 부족과 제3국의 영공을 통한 이스라엘 항공기의 측방기습, 지상 침투조에 의한 방공진지 파괴 등으로 골란고원 정면의 방공망부터 무너지기 시작하여 시리아 전선에서 이스라엘은 공중우세를 확보하기 시작하였다.

제2기 작전은 10월 10일부터 15일까지로서 골란고원의 시리아 軍은 무너지기 시작했으며 수에즈 전선의 이집트는 병력을 증강하여 14일 18:00를 기해 총공격을 시도했으나 이스라엘의 반격으로 저지되었으며, 특히 이 기간 중 즉 13일 동안 요르단, 이라크 양국이 참전하였다. 제3기 작전은 10월 16일부터 22일까지로서 시리아 군을 격파한 이스라엘은 일부 병력을 수에즈로 전환하여 운하 서쪽으로 진출, 이집트 제3군을 완전포위 괴멸직전까지 몰고 감으로써 22일 18:00 停戰이 되었다.

2) 이집트 방공망

이집트의 공군은 적극적 방공에 있어서 변형적으로 폭격기를 대대적으로 동원하지 않고 SA-6을 비롯한 지대공 유도탄과 이를 보완하는 각종 대공포와의 효율적인 운용으로 큰 전과를 올렸다. 이에 선행되는 이집트의 조기 경보활동과 대공경계에 대한 구체적인 첩보가 없지만 소련의 장비와 기술에 의한 작전을 하였음이 분명하고 특히 주목되는 것은 항공기의 손실을 극소화하기 위한 소련 설계의 격납고와 시설 때문에 이스라엘 항공기들이 6일 전쟁 시와는 달리 지상 항공기를 격파할 수 없었고 오로지 활주로에 탄혼을 만드는 일시적 효과에 그쳤으나 도리어 주변의 대공화력에 의하여 많은 항공기를 잃었다. 이것은 6일 전쟁에서 많은 타격을 받은 이집트가 재건을 위하여 소련으로부터 막대한 무기를 도입하여 보강하였기 때문이다.

이 당시에 군사 평론가들의 평가에는 이 미사일 체제를 돌파하는 일은 불가능하고 이스라엘의 가장 강력한 무기인 이스라엘 공군을 효과적으로 무력화할 수 있으며 소련인들이 월맹에서 3년 동안에 할 수 있었던 것을 이집트에서 3개월만에 완성하였다고 말하고 있었다.

이러한 SAM 기지를 완성한 후에도 지역방어를 위하여 추가의 ZU-23M 고사포를 설치하였으며 후에 이 고사포는 이스라엘 공격기에 대하여 위력을 발휘하여 전후 10일간에 걸쳐 F-4E기 3대를 격추시켰다.

다. 전　과

이스라엘의 항공기 손실대수는 공식발표는 없지만 영국의 Flight International 誌(1973. 11. 22)는 약 120여 대를 잃었으며 그중 불과 2대만이 공중전에서 소모되었을 뿐 나머지는 거의 지대공 유도탄(SAM)과 대공포에 의해 희생이었다고 보도했다. 이 손실대수는 대부분 개전 후 3일간에 상실된 것이며 이 기간 동안 이스라엘은 아랍측의 미사일 방어부대에 대한 정확한 정보를 알지못해 손실이 컸다. 피아 쌍방의 피해현황은 다음과 같다.

국 명	전 사 상 자	항 공 기	전차, 장갑차
이스라엘	3,900명	120대	810대
이 집 트	7,000명	182대	740대
시 리 아	7,300명	165대	860대
모 로 코	490명		

라. 전 훈

1) SAM 및 대공포의 통합된 대공화망은 항공기 공격의 효과를 결정적으로 감소시킴

2) SAM은 주로 방어개념으로 운용되어 왔으나, 공세적 개념으로도 운용 (제공작전 및 지상군의 교두보 확보를 위한 우산형 보호).

3) SAM은 취약성을 보완하기 위해 대공포와 혼합배치가 필요

4) 신무기(SA-6) 못지 않게 운용요원의 훈련수준이 더 중요

5) 방공진지의 기만은 적기에 의한 피해를 감소

6) 진지 이동시 타진지로 부터의 계속적인 공중엄호가 필요

7) 방공진지는 지상방어를 위한 자체경계에 취약

8) 피아 항공기의 정확한 식별(IFF)이 보장되지 않으면 우군기의 피해를 초래

9) 간단없는 작전을 위해 방공무기체계는 EP(전자보호책)이 필요

제 7 절 걸프전쟁

1. 개 요

가. 전쟁의 동기 및 배경

1) 전쟁의 발발

쿠웨이트를 침공한 사담 후세인 이라크 대통령은 8여 년에 걸친 대 이란전쟁으로 인한 국내 재정문제의 해결 및 아랍세계의 패권장악을 위한 노력과 영토확장의 야심달성, 자신의 독재체제 강화 등 허황된 꿈을 꾸고 있었다.

1979년 집권 이후 자신을 비평하는 자는 모두 처단하여 온 그는 쿠웨이트가 석유 수출기구(OPEC)에서 결정한 석유 생산량을 초과하여 생산함으로써, 1990년 원유 가격이 배럴당 14달러 이하로 떨어지자 국제 원유 가격의 하락이 자신과 이라크에 대한 모독으로 생각하게 되었다. 이란과의 8년간이나 지속된 전쟁에서 이라크는 약 700억 달러의 부채를 안게 되었으며, 페르시아 만의 주요 항구인 바스라항이 이란과의 전쟁 중 거의 파괴되어 복구되지 않았기 때문에 사용하기에 곤란하였다. 그러나 이웃 쿠웨이트는 작은 영토에도 불구하고 석유 생산량은 이라크와 비슷한 1,000억 배럴이나 됨에 착안하여 쿠웨이트를 손아귀에 넣어 재정적 위기를 해결하고 페르시아의 전략적 수로에 자유로이 왕래할 수 있는 기회로 삼고자 했다.

또한 1천억 배럴의 석유매장량을 가지고 있는 이라크가 쿠웨이트의 석유 자원까지 확보할 경우 총 매장량은 2천억 배럴에 육박하여 2억 5천억 배럴의 사우디에 이어 세계 제2위의 산유국이 되고 고유가 정책을 주장하는 이라크에 의해 좌우될 수 있으므로 페르시아 만에서 국내 석유 소비의 40% 이상을 수입하는 미국으로서는 엄청난 타격이 아닐 수 없었다.

2) 이라크의 침공과 미국의 오판

미국은 이라크의 쿠웨이트 침공을 사전에 인지하였으나 이라크의 기만전술에 적절한 대응조치를 할 수 있는 시간을 상실했다. 8월 1일에 가서야 후속 탄약보급부대의 이동이 식별되자 침공으로 판단하여 공격개시 12시간 전에야 백악관에 보고하게 되었다. 오랜 기간에 걸친 미국의 외교적인 노력으로 세계여론을 조성하여 다국적군의 결성, 유엔안보리 만장일치 등 주권 국가의 강점에 대한 응징의 정당성을 완벽하게 확보한 다음 1991년 1월 17일에 공습을 시작하였고 2월 28일 전쟁을 승리로 종결하였다.

나. 전쟁 수행 단계

1) 제1단계 작전(공격)

공격시기는 무월광 야간 기습공격(02:00)이며 기습공격에 앞서 전자전에 의한 통신방해 실시하였다. 공격목표는 제공권 확보와 주요 전략목표 파괴에 중점을 두고 토마호크는 SAM / RADAR 기지를 항공기는 대통령궁, C3I, 비행장, 방공망, 핵 / 화학시설을 공격하였다. 작전 실시결과 공격개시 22시간만에 이라크의 제공권을 완전 장악하였으며, 방공망을 완전 무력화시켰고, 전투기의 25% 파괴, C3I 시설 30% 파괴로 중앙통제 기능을 상실시켰으며, 핵, 화학시설도 50 ~ 75% 파괴시켰다. 또한 임무 성공률은 80%이며, 실패는 20%로서 악기상, 표적 미식별, 교전 중 추락 등 이었다.

2) 제2단계 작전(D+2 ~ D+37)

작전목표를 1단계 작전에 대한 전과 확대와 지상전력을 약화시키는데 두었으며, 초기작전 1주간은 1단계 작전의 전과 확대와 토마호크에 의한 군사 핵심 시설을 파괴하고 B-52 중폭격기를 이용 24시간 지속적으로 공화국 수비대에 대해 융단폭격을 실시하였다. 2주째는 지상군 무력화에 주력하면서 보급로, 군사기지, 교량폭파에 작전중점을 두었다. 후기작전인 3주째는 전선 병력을 무력화시키고 전차, 야포, 지휘시설, 장애물 등을 파괴시켜 최종 지상작전을 위한 준비를 하였다.

3) 3단계 작전 : D+28, 04:00 ~ D+31, 09:00

지상전 개시 기간으로 작전목표를 쿠웨이트 지역 탈환에 두고 개시하여 2월 28일 10:00 부시 대통령의 전쟁중지 선언으로 전쟁이 종결되었다.

2. 방공작전

가. 개   요

1) 전투기간 : 1991. 1. 17. ~ 2. 28
2) 전투국가 : 다국적군 대 이라크
3) 전투장소 : 걸프만

나. 전투경과

1) 이라크의 방공전력

이라크 방공전력은 SAM 70개 대대(발사대 790기)와 호크 유도탄 144기, ASU-23, 24, SHI, KA, ZSU-57-2 등 자주 대공포와 23mm, 37mm, 57mm, 85mm, 100mm 등 견인 대공포 1,200여 종 1,000여 문으로 혼합 운용하여 주요 군사시설, 도시, 항구, 비행장 등에 배치하였으나 이라크의 방공무기는 한마디로 다국적군 최신 장비에 무방비 상태였고 다국적군의 정밀 유도무기의 시험장이 된 셈이었다. 무기상태도 대개 노후장비로 무차별 화망사격에만 의존하였다.

2) 이라크 방공의 취약점

이라크의 방공무기는 중앙통제 위주 지휘통제 체제가 초기에 파괴되어 지휘통제가 완전 기능을 상실하였고 이에 따른 분권화 작전이 불가능하였으며, 방공무기 체계의 성능 미약과 운용미숙이 여실히 나타나 제대로 대응 한번 못했다고 할 수 있다. 또한 대규모 J-SEAD 개념으로 인공위성을 비롯한 육·해·공군의 입체적 공격을 예상치 못하여 이라크 방공망은 쑥대밭이 되었으며, 24시간 지속 방공작전을 수행할 수 있는 능력은 부족하였다.

다. 전   과

1) 이라크의 피해

지휘통제 시설이 무력화되었으며 비행장, 군수산업시설, 유류시설 등 주요 핵심시설이 거의 파괴되었으며, 전투기 650대 중 이란으로 139대 도피, 97대가 파괴되는 등 거의 전멸한 상태이다. 지상전력 피해도 병력은 포로가 80,000~100,000명, 탱크 94.5%, 포병 68.8%, 장갑차 64.7%가 무력화되었고, 전쟁 배상액이 3,000억 달러가 되며, 파괴된 산업 및 민간시설 복구하는 데도 최소 12년 이상이 소요될 것으로 판단되었다.

2) 다국적군의 피해

항공기가 전투 손실 32대, 비전투 손실 17대 등 총 49대의 항공기 손실을 보았으며, 이 손실률은 0.05%로서 1973년 중동전 당시 이스라엘 손실률 3.5%에도 훨씬 못 미치는 수치다. 또한 병력손실도 전사 149명 등 481명의 손실이 있었으며 장비도 경미한 상태였다.

쿠웨이트 피해는 주요 산업시설이나 건물들이 파괴되어 복구비용만 5,000억불 이상 소요될 것으로 추정하며, 유전피해도 1,700개 중 517개가 소실되어 최소 복구기간도 2년 이상 걸릴 것으로 판단되었다.

라. 분 석

1) 과학 기술력을 총동원한 전쟁계획 및 작전수행의 중요성이 대두

2) 제공권 장악 없이 원활한 기동전 수행이 곤란함을 인식

3) 방공전력의 중요성을 입증

4) 현대전 수행에는 막대한 물량의 군수지원이 소요

5) 생존성 및 기만 대책의 중요성 부각

6) 첨단 무기체계에 의한 야간 작전의 보편화 예고

7) J-SEAD의 중요성을 인식

마. 전 훈

1) 미국을 주축으로 한 연합작전에 의한 국지도발에 대한 완전 응징

2) 현대전에서의 첨단무기체계의 위력을 실증

3) 항공전력 주도에 의한 전승 가능성 예고

4) 적의 전투 수행의지 마비를 지향하는 기동전의 중요성을 재인식

5) 공지 전투개념의 최초 실전에 적용

6) 선제 기습공격의 군사적 중요성 입증

제 2 장 대 공 포

제 1 절 개 요

20세기 들어 항공기가 출현한 이래 항공무기체계는 다른 어느 무기체계보다 놀라운 발전을 거듭하여 왔으며, 항공기는 현대전에서 전쟁의 승패를 결정짓는 핵심전력이다.

따라서 敵의 위협적인 항공전력에 얼마나 효과적으로 대응할 수 있는가? 역시 중요한 문제로 부각되고 있다. 1950년대 후반까지 전장에서의 주요 공중위협은 고공폭격 또는 초단거리에서의 급강하 공격이었다. 당시의 항공기의 조준 및 계산장비는 비교적 원시적이었기 때문에 지상표적을 명중시켜 파괴할 수 있는 다른 방법이 없었다.

그러나 강력한 정밀 유도무기를 탑재한 고속 항공기의 출현에 따라 방공유도탄 기술이 급속도로 발전되어 사거리가 길면서도 명중률이 높은 지대공유도탄이 순식간에 방공무기의 주역이 되었다.

따라서 과거의 방공수단은 항공기에 의한 방공과 중, 고고도 지대공 미사일에 의한 방공위주로 발전되어 왔다. 이러한 Missile위주의 방공환경에 따라 항공기도 이에 중, 고고도를 회피하기위한 저고도 공격전술이 발전하게 되었다.

항공기의 저고도 공격전술은 중,고고도 Missile의 유효사거리를 회피하기 위하여 대공포의 유효사거리 이내로 들어오게 되어 대공포와 교전을 회피할 수 없게 되었다.

실제로 과거 한국전쟁, 월남전, 4차 중동전, 걸프전 등에서 격추된 항공기의 상당수가 대공포에 의해서 격추된 바 있다. 이것은 항공기 및 Missile에 의존하는 중, 고고도 방공뿐만 아니라 대부분이 대공포에 의존하는 저고도 방공이 매우 중요하다는 것을 의미한다.

이에 따라 세계 각국은 여러 가지 형태의 새로운 대공포를 개발하여 보유하게 되었고, 과거의 대구경의 고사포위주에서 20~40mm급의 중구경포에 현대화된 정밀한 사격통제장치를 갖는 대공포로 발전하는 추세이다. 일부 군사 전문가들이 대공포체계를 시대에 뒤떨어진 구식장비로 취급하려는 경향이 있으나, 위협의 종류가 매우 다양화되는 현대의 전장(戰場)에서 대공포체계가 담당해야 할 역할이 분명히 존재하고 있으며 그 중요성은 누구도 부인할 수 없을 것이다.

제 2 절 견인형 대공포

1. 12.7mm(M55/M45D)

가. 개 요

　12.7mm 대공포(Quad)는 1942년 미국의 Kimberly-Clark Corpration사에서 개발에 착수하여 1943년 초도품 및 양산품을 생산하여 납품을 시작하였으며 1943년에서 1953년까지 美 육군에 10,000문이 납품되었다.

| 그림 2-1. M55 | 그림 2-2. M45D |

나. 제원 및 성능

구 분	내 용	내 용		성 능	구 분		내 용
구 경	12.7mm	발사 속도	단열	450~550발/분	유효 사거리	수평	1,500m
무 장	12.7mm×4		4열	1,800~2,220발/분		수직	1,000m
사격 범위	AZ	360°	포가조종		전동식	탄적재량		210발
	EL	-10°~90°	포가 속도	AZ	60°/S	중량	사격	975Kg
승무원	4명		EL	60°/S		주행	1,338Kg

2. 20mm Vulcan(견인/자주)

가. 개 요

VULCAN의 의미는 로마신화에 등장하는 "불의 신"을 상징하며 1946년부터 8년간 6연장 20mm포를 개발하여 1954년 시제품을 생산하였으며, 초도 생산품의 명칭은 T-171로 다련장 Gatering포를 현대식 모터구동형태로 1964년에 개발에 착수하여 1967년 최초 생산품이 납품되었다. 이후 T-171포의 기능 및 성능향상을 위한 많은 개량을 거친 후에 M167포로 명명되었고, 이것이 발칸포의 모체가 되었다.

그림 2-3. 견인형 대공포(KM167A3) 그림 2-4. 자주형 대공포(K263)

나. 주요 특징

자주 발칸은 1980년대 기계화부대에 대한 기동간 대공방어의 필요성이 제기되어 당시 대우중공업에서 개발한 K200 장갑차체 일부를 설계변경하고 견인형 발칸포탑을 탑재하여 한반도 지형에 맞게 궤도화하여 자주화시킨 장비이다. 20mm 자주 대공포는 4명의 조원이 탑승하여 60km/s의 속도로 주행하면서 기계화 부대에 대한 중단없는 방공지원임무를 수행하며, 분당 3,000발의 발사속도를 가진 고화력의 무기체계로 대공무기로서 뿐만 아니라 敵 지상표적에 대해서도 강력한 화력지원이 가능하며, 또한 자체 레이더에 의한 표적에 대한 사격제원을 산출하고, 선도계산조준기에 의한 표적 정밀 추적으로 명중률을 향상시켰고, 1,000발이상의 탄을 적재하여 장기간 재보급없이 지속적인 임무수행이 가능하다. 또한 자주발칸은 그 화력의 우수성으로 인해 세계 수십여 개국에서 현재까지도 운용하고 있고, 자국의 특성에 맞게 개량하여 성능을 향상시키고 있으며, 현재 우리나라에서도 성능개량으로 기존의 발칸보다 우수한 성능을 보유하고 있다. 차체는 알루미늄으로 제작되었으며, 전장지역에서 생존성을 높이기 위해 차체의 전면과 측면에 계층식 철갑을 부착하였다. 우측으로 열리는 단일형 개폐구를 장착하고 있으며 그 전방과 측방에는 4개의 관측용 잠망경이 설치되어 있으며, 차체의 중앙부분에는 20mm 대공포 6열을 장착하고, 우측에 거리 측정 레이더를 장착한 1인용 포탑이 설치되어 있다.

다. 제원 및 성능

구　　분		견인형	자주형
유효 사거리	지 상	2 Km	
	대 공	1.8 Km	
발사속도		3,000 발/분	
무 장		20mm ×6	
길 이		4,72 m	5.4 m
높 이		2,06 m	2.9 m
승무원		4명	
방위각 한계		360°	
이동 속도		68 km/h	74 km/h
무 게		1.5 Ton	13 Ton
사격 제한기		보유	미 보유
고각 한계(°)		−5~80	
레이더	형 태	거리레이더	
	탐지거리	0.25 ~ 5 Km	
	거리 변화율	10~310 m/s	
탄약 적재		525 발	1,850 발
제작국		미 국	대한민국

3. 35mm Oerlikon

가. 개 요

중립을 선언하고 국가를 운영하던 스위스가 2차대전의 전후 민방위 체재를 강화하면서 자국의 영공을 효과적으로 지키기위해 1950년대 후반, Oerlikon-Buhre社를 통해 35mm쌍열 자동 대공포체계 개발에 착수했다. 1959년 최초로 GDF-001을 생산하였으며, 1980년에는 보다 성능개량된 GDF-002 / 003이 1995년까지 2,000문 이상 생산되어 30여개국에 수출되었다. 35mm GDF-002/003 자동 대공포체계는 1차적으로 대공표적과의 교전임무를 수행하지만, 지상표적과의 교전도 가능하다. 1985년 5월에는 GDF-005 자동 대공포체계가 개발되었다. 이 대공포체계는 기존의 GDF-001/002/003 대공포체계를 개량한 것으로서 Oerlikon-Contraves社가 공급하는 전투개량장치를 사용한다. 한국군에 장비된 Type은 GDF-003형이다.

그림 2-5. 35mm Oerlikon 대공포(GDF-003)

나. 주요 특성

　35mm쌍열 자동 대공포체계 운영은 35mm쌍열 대공포 2문과 1대의 수퍼 플레더마우스 사통레이더, 3대의 발전기로 구성되는데 레이더에 의한 자동 연동사격과 수동사격이 가능하다. 적기에 대한 탐지 및 추적은 박스카 위에 달린 수퍼 플레드 마우스 레이더로 적기를 추적하여 레이더와 연결된 2문의 35mm Oerlikon포는 자동으로 포신을 적기를 향해 조준 발사하게 된다. 이때 적기에 대한 고도, 속도, 예상위치 등을 산정하여 모니터에 전달되며 명령을 받은 사수는 2문의 오리콘 포를 발사한다. 상황에 따라서 박스카에서 곧바로 사격버턴을 눌러 사격을 할 수도 있다. 포구에는 탄자속도 측정기가 있어서 균일한 포구속도를 유지하므로 명중률이 우수하다.

　35mm Oerlikon포는 탄약공급 시스템이 완전자동화로 독특하게 생긴 포구 모양은 발사시 화염을 분산시켜 대공포 진지 노출취험을 감소시켜 준다. 35mm Oerlikon포는 대공표적 뿐만 아니라 지상표적과 교전이 가능하며, 포신에 폐쇄기를 부착함으로써 포구초속을 측정학 수 있으며, 탄환 자동장전도 가능하다. 또한, 3차원 광학조준 시스템 설치로 포구초속, 표적거리, 기상조건 등 모든 변수 처리가 가능하다.

그림 2-6. 35mm Oerlikon 대공포 사격장면

다. 주요 기능

1) 대공포

　　대공포 포신을 포함하는 대공포의 통제부는 반동시 요가상부에서 미끄러지도록 설계되어있다. 덮개 내부에는 송탄장치가 설치되어 있으며, 반동시 움직이지 않도록 되어있다. 탄환을 점진적으로 회전시키는 강선이 새겨진 포신에는 폐쇄기가 부착되어 있으며, 필요시 탄환 포구초속 측정장치를 장착할 수 있다.

2) 요 가

　　요가는 고각축 위에 설치되어 있으며, 2개의 대공포를 운반할 수 있도록 제작되었다. 이 요가에는 대공포의 반동을 흡수하는 유압기계식 완충장치가 장착되어 있다. 요가의 양측에는 탄약통이 설치되어 있으며, 요가와 함께 회전하도록 되어 있다.

3) 송탄장치

　　송탄장치는 각각의 탄환용기는 56발의 탄환을 적재할 수 있다. 대공포의 탄환은 7발이 장입된 클립의 형태로 보관용기로부터 상부포가의 트러니언을 거쳐 대공포가 장전되도록 설계되어 있다. 송탄시스템의 조정장치는 대공포와 독립적으로 운용되며, 전기적 스프링 모터를 운용한다. 스프링 모터의 재감기는 자동으로 이루어지나 수동방식으로도 운용될 수 있다.

4) 상부포가

　　대공포의 회전은 상부포가의 회전축 베어링에 설치된 상부포가에 의해 결정된다. 상부포가의 플렛폼은 보조 조준장치, 조원좌석 및 63발의 재장전용 탄환보관용기를 지지하는 역할을 수행한다.

5) 하부포가

　　하부포는 대공포를 지탱하게 하는 안정된 기반을 제공해 준다. 이 하부포가는 2개의 축을 가진 섀시와 사격시 포가를 지탱해주는 조정 스핀들이 장착된 3개의 지지대로 구성되어 있다. 조정 스핀들의 상.

하 조정이나 바퀴의 상. 하 조정은 전기 유압식장치로 이루어지나, 비상시에는 수동으로 조작할 수 있다.

6) 조준 시스템

조준장비는 GEC Ferranti Type GSA Mark 3 조준기, Ferranti 조준기에 장착된 지상표적용 조준기 및 광학조준기로 구성되어 있다. 표적의 거리제원은 이 조준기에 적용되는 유일한 변수이다.

라. 제원 및 성능(GDF-003형)

구 분	내 용	구 분	내 용	구 분		내 용
전투중량	6,700kg	최저지상높이	0.33mm	송탄	장전	112발
포신길이	3.15m	궤적	1.9m		적재	126발
회전반경	4.63m	축간거리	3.8m		총수량	238발
전 장	8.83m	고각한계	−5~+92도	유효 사거리		대공(4Km)
						지상(3Km)
전 폭	4.49cm	방위각한계	360도	승무원		3명
전 고	1.72m	포신별 사격률	500발/분	견인차량		5톤

4. 40mm(M1)

가. 개 요

40mm 대공포는 저고도 대공방어 및 필요시 지상화력 지원임무를 수행하기 위해 '40년대초 스웨덴(보포스 社)에서 개발되어 대공화력으로 생산된 이후 미국에서도 1941년말경 40mm Bofors를 생산을 시작하여 1942년 초도품을 공급했으며 자국실정에 적합하도록 지속적으로 성능을 개량된 대공무기이다. 40mm 대공포의 구성은 40mm M1대공포와 M2A1 장치대로 구성되어 있으며 수동으로 조작된다. 이 포는 방위각과 고각상 한 표적을 조준하다가 다른 표적을 사격하기 위해 신속히 전환할 수 있는 기능상의 장점이 있는 반면, 표적을 육안으로 탐지, 식별하기 때문에 시계가 불량할 때 대공사격에 제한을 가져오는 단점이 있었다. 그러

나 대공사격 임무 외에도 필요시 敵의 병력과 장갑차 등의 지상표적에 대한 사격임무를 수행할 수 있는 융통성 있는 대공포로 운용되었다. 한국에는 '50년대 말 도입되어 대공방어용으로 최근까지 운용하였다.

그림. 2-7 견인형 40mm 대공포

나. 제원 및 특성

구 분	내 용	구 분	내 용
구 경	40 mm	유효사거리	대공 1.65Km, 지상 1.85Km
포구초속	875m/s	강 선	16조 우선
포 신 회전범위	360도	발사속도	연발 120발/분, 단발 60발/분
포신고각	-11도 ~ +90도	가 격	4,100만원('99년)

제 3 절   자주형 대공포

1. ZSU-23-4(Shilka)

가. 개   요

ZSU-23-4 대공포는 기존 ZSU-57-2의 강력하지만 느린 발사속도 및 이동간 사격 제한, 광학체계로만 가능한 조준시스템 등의 여러 문제 제기로 인해 새롭게 개발된 자주 대공포로 1964년부터 배치되기 시작했다. 대공포는 ZSU-57-2의 57mm보다 작은 23mm이지만, 대신 4기를 장착함으로써 화력 부족을 해결했다. 이 23mm 포는 수냉식 대공포로 분당 850~1000발의 발사속도를 가지고 있으며 버스트 사격시 30발씩 끊어서 발사합니다. 욤 키푸르에서 SA-6와 Shilka는 이스라엘군의 많은 항공기들을 격추시켰다. 그로인해 이스라엘군은 쇼크에 빠졌던 상황이 있었다. 간신히 미국이 제공한 새로운 ECM장비와 특공대의 활약으로 이를 제압하게 되었으나, 그 이후 많은 조종사들을 공포에 떨게 한 대공무기였던 것은 자명한 사실이다. 현재는 낡은 대공무기에 속하나 아직도 주력의 자리를 지키고 있는 대공무기로 최초의 성공적인 현대적 자주 대공포라 평가할 수 있겠다.

그림 2-8. ZSU-23-4 자주 대공포 Shilka

나. 특성 및 제원

1) 장갑차량

    Shilka의 차량은 PT-76전차에 사용된 GM-575 궤도차량으로, 이 차량은 280마력의 V-6R 6사이클 4기통 엔진을 사용하여 톤당 14.7마력을 가지며, 최고 속도는 포장도로에서 50km/h, 비포장 도로에서 30km/h이며, 최대 행동반경은 포장도로에서 450km, 오프로드에서는 300km이다. 이 자주 대공포는 폴란드에서는 측면에 단거리 대공미사일을 장착해서 ZSU-23-4MP Biala로 불려지는 복합형 자주 대공포로 운용중이다. 차체의 가장 두꺼운 부분이 9.4mm이며 포탑은 8.9 mm의 장갑판으로 보호된다. 그외 레이더 경보 장치와 NBC 방호 기능이 있는 가압 공기 여과 장치가 달려있다. T-76은 수륙 양용이 가능하며 6개 보기륜에 보조륜이 없는 트랙을 사용하므로 쉽게 식별할 수 있다. 아마 ZSU-23-4가 PT-76 차체이기 때문에 수륙 양용이 될거라 추측할 수 있지만 실질적으로 1m 수심까지 도섭이 가능하고, 수륙 양용은 아니다. 운전병은 왼쪽에 탑승하며 나머지 차장, 포수, 레이더수는 포탑에 탑승한다.

2) 사격통제 시스템

    GUN DISH 사격통제 레이더 시스템을 사용하며 이는 포탑 후면에 장착되고 기동 중에는 접을 수 있게 설계 되었다. GUN DISH 레이더는 높은 주파수를 방출하며 우수한 추적 성능을 가짐과 동시에 상대편이 찾거나 회피하는 걸 어렵게 만든다. 그러나 거리의 한정은 어쩔 수 없지만 애초 이 무기 자체가 대공포를 사용한 저고도 방공 시스템이므로 문제 될 건 없다. J밴드를 통해 20km의 탐지거리를 가지고, 7~8km에서 자동추적을 하는 RPK-2 "Tobol" 레이더를 통해 사격할 시에는 6,000m, 단순 기계 광학으로 사격할 경우 4,000m의 사거리를 지니고 있다.

3) 무 장

문당 800~1000발/분의 발사속도를 가지며, 총 3,200~40,000발/분당의 발사가 가능하나, 그러나 실제적으로 다른 기관총이나 대공포처럼 연속 발사시에는 어떤 의미도 없으며, 대부분 50발 내외의 점사를 하게 된다. 그 이유는 포신의 수명을 연장하고, 사격간 발생하는 포열의 과열을 어느정도 막기 위해서 이다. 사실 Shilka의 약점은 대공포 포신자체의 과열에 있다. 탄약은 2,000발의 탄약을 차체에 탑재한다.

탑재탄은 보통 3발의 HEI에 1발의 API탄을 혼합한다. 이는 4연장에서 1문을 API(API-T)만 장전하고, 나머지 3문을 HEI를 장전하는 방식으로 이루어진다. Shilka는 공중표적뿐만 아니라 지상의 경 장갑 표적에 대해서도 우수한 효과를 발휘할 수 있다.

2. 30mm 비호

가. 개   요

1970년대 들어 20mm 벌컨포나 35mm 엘리콘포 등의 대공포를 실전 배치해 敵 항공기의 저공 기습에 대비했으나 유효사거리, 야간 전투능력 등의 면에서 부족한 점이 많았다. 이 때문에 보다 확고한 저고도 방공망을 구축하기 위해서는 주.야간 표적 획득과 추적이 가능한 레이더와 광학 추적기에 의한 전천후 사격능력과 최신의 사격통제 장치를 갖춘 대공화기를 필요로 했다. 특히 기계화 부대와 함께 기동하면서 방공 임무를 수행할 수 있는 자주화된 무기체계의 필요성이 날로 높아 갔다. 국방과학연구소(ADD)가 1983년부터 1991년까지 9년간에 걸쳐 많은 연구 인력과 개발비를 투자해 개발한 구경 30mm 쌍열 자주 대공포 비호(飛虎 Self-Propelled AA 30mm Twin-Gun System)는 이 같은 목적과 취지에 부합하게 기계화 부대와 같이 고속 기동할 수 있고, 자체 탐지 및 추적 장치·사통장치를 갖춰 독자적인 작전임무 수행을 할 수 있는 첨단 정밀 무기체계이다.

유도무기를 제외하고는 국내 최초로 자체기술로 체계설계하고, 종합 군수지원 요소까지도 개발한 무기체계라는 특징이 있다. 비호는 개발 완료 후 곧바로 실전 배치되지 않고, 여러 해에 걸쳐 고속 전투기에 대한 유효사거리 사격능력 배가를 위한 연구활동이 추가적으로 이뤄져 1996년 말에서야 초도 양산에 들어가 1999년 체계 완성과 함께 소요군에 초도 배치됐다. 비호는 2000년 8월, 사격성능 검증을 위한 무인 고속 표적기 사격시험을 통해 표적을 명중시킴으로써 사격 성능을 입증하기도 했다.

비호의 포열은 개발 당시 국내 열처리 기술수준과 생산시설이 미흡했던 관계로 최초 스위스 엘리콘 사의 제품을 수입, 장착했으나 현재는 국산화된 제품을 탑재하고 있다. 이 국산화 과정에서 국산 포열은 최초 생산품에 대한 시험에서 포열 내부 열처리(질화처리) 미흡으로 인해 조기 마모되는 현상을 빚기도 했다. 그러나 당시 국방 품질관리소가 2004년 이 포열에 대해 2단 가스질화처리 방식을 적용, 해외 도입품의 포열 내구수명과 동등 이상의 품질을 확보해 신뢰성을 회복함으로써 추가 양산, 전력화 사업이 본격화됐다.

그림 2-9. 2- 30mm 자주 대공포 비호

나. 특성 및 능력

　　궤도형 장갑차량에 30mm 대공포를 쌍열로 탑재하고 있는 비호는 전투중량 25톤에 승무원 4명이 탑승, 최대 시속 60km로 주행한다.

　　작전에 돌입하면, 탐지 레이더를 통해 펄스파를 360도 전 방향으로 송신하고 반사파를 수신함으로써 약 17km 거리 내의 항공기를 탐지하며, 전자 광학추적장치(EOTS : Electro Optical Tracking System)로 약 7km 내의 표적을 주ㆍ야간 자동 추적해 표적의 위치정보를 전달받는다.

　　또 실시간(real time)대로 고속 처리할 수 있는 탄도계산 컴퓨터가 내장된 사격통제장치는 이 같은 탐지ㆍ추적된 적기의 현재 위치, 이동 방향 및 속도 등 정보를 종합 판단해 예상 요격지점으로 탄을 발사시키는 역할을 수행한다. 30mm 대공포는 가스 작용식으로 2문이 서로 교차로 사격되는 가운데 유효사거리 3km 내에 들어온 표적을 격파한다. 단발ㆍ5발ㆍ10발ㆍ20발의 선택이 가능하며, 각 포는 분당 600발을 발사할 수 있다. 30밀리 자주대공포(비호)는 현대화된 敵 항공기의 주ㆍ야간 공격으로부터 아군부대 및 중요시설에 대한 대공방어 능력을 보유하며 주ㆍ야간 탐지 및 추적이 가능하고 자동 추적, 실시간 탄도 계산을 통해 신속한 반응과 정밀 구동 및 사격능력을 갖춘 방공무기로 다음과 같은 능력을 보유하고 있다.

1) 30밀리 자주대공포(비호)는 레이더를 가동하기 위한 예열시간과 추적기의 예냉시간에 의한 작동준비시간이 짧고, 표적탐지를 위한 체계반응 시간 및 탄통 재 급탄시간, 최소 유지기능 지속시간 등의 특성을 유지하여 체계반응 및 전투준비시간이 짧다.

2) 제어판의 설계 및 주ㆍ야간 전천후 운용이 가능한 장비로 여러 가지의 운용의 용이성을 보유하고 있다.

3) 자체점검능력 및 모듈단위의 설계를 기반으로 하여, 장비의 고장소요

발생시 신속하고 정확한 정비가 가능하다.

4) 사격간 현수장치 및 레이저 거리측정기에 의해 사격의 정확성 및 효율성을 보유하고 있다.

5) 승무원의 생존성향상을 위해 자동화재 탐지 및 화학 탐지기를 보유하고 승무원 방호 및 생존능력을 갖추고 있다.

다. 제 원

구 분		내 용
탐 지 및 추적능력	탐지 거리	0.3 ~ 21km
	탐지 고도	3km
	전자광학추적기 추적거리	7km
	육안조준기 야시능력	3km
포 및 포 탑	무 장	30mm × 2
	유효사거리	3km
	발사 속도	600발 / 분 × 2
	사 격 률	1, 5, 10, 20발 × 2
탑 재 차 량	전투중량	25톤
	탑승인원	4명
	최대주행속도	60Km / h 이상
기 타	반응시간(탐지-사격)	13초 이내
	자폭시간 및 거리	6~10초, 3.3~4.4km

3. 35mm Gepard

가. 개 요

Gepard 자주 대공포는 레오파드 전차의 제작업체인 독일 뮌헨의 Krauss-Maffei社에서 개발되었으며 벨기에, 독일, 네덜란드에서 운용 중이다. Gepard 는 중무장, 자동, 이동식의 방공시스템으로 기본 차체를 레오파드 전차의 차체를 사용하고 있다. 1995년, 독일과 네덜란드는 험한 기상조건과 적 전자방해 수단하에서 敵 고정익기와 회전익기, 유도미사일, 원격조종 무인항공기에 대한 Gepard 자주 대공포의 공격력 향상을 위한 성능개량 사업에 착수하였다. 이 개량사업은 차량의 수명을 2015년까지로 연장하게 될 것이다. 성능개량 사업은 C3능력의 확보, 확장된 전투능력으로 나타나는 표적 추적능력의 개선, 짧은 반응시간, 더 높은 명중률을 목표로 하고 있다. 이를 위해 Gepard는 새로운 사격통제 시스템, 지휘시스템, 포구초속 레이더, FSPDS(Frangible Armour Piercing Discarding Sabot) 탄의 사용을 위한 시스템 등을 신규로 장착할 예정이다. 이밖에 자체 방호능력도 향상되었으며, 방호 장치와 승무원 활동공간에 대한 공기정화 장치가 신규로 장착되었다.

그림 2-10. 35mm 자주 대공포 Gepard

나. 특 성

1) 무 장

Gepard 는 두 개의 오리콘 KDA사의 35mm 포를 장착하고 있으며, 이 포의 길이는 3,150mm이며 벨트 공급식에 의해서 공급받는다. 이 포는 분당 두 개의 포신에서 최고 1,100발을 발사할 수 있으며, 각 포는 대지 공격용을 포함하여 320발의 탄환을 장전하고 있다.

이 포는 TP-T(Training Practice - Tracer), HEI-T(High Explosive Incendiary - Tracer), APDS-T(Armour Piercing Discarding Sabot - Tracer), FAPDS(Frangible Armour Piercing Discarding Sabot)탄 등을 사용할 수 있다.

2) 사격통제 시스템

Gepard는 지멘스社의 디지털 사격통제 컴퓨터를 장비한다. 소형화된 이 컴퓨터는 모토롤라 社의 32비트 프로세서인 68020 CPU와 수치연산용 보조 프로세서와 범용의 메인 메모리를 사용하며, 한 개의 보드에서 지휘, 통제, 통신등 C3 작업을 처리할 수 있다. 사격통제 시스템에 의해서 처리되는 모든 데이터는 차량 통합시스템에 연계된다. 그리고 Gepard는 독립적인 탐색, 추적용 레이더를 가지고 있으며, 탐색레이더는 포탑의 앞 부분에, 추적 레이더는 포탑의 뒷 부분에 장착되어 있다. 이 레이더들은 360도 전방위 스캔기능을 제공하며, 고성능의 산탄 방지 기능, 모노펄스 타입의 추적모드, ECM환경 및 혼란상태에서의 이동중 탐색기능 등을 제공한다. 독일 군용의 Gepard에 장착되는 S밴드 탐지레이더와 k밴드의 추적 레이더는 각각 15km의 탐지 및 추적 능력을 가지고 있다.

3) 방호능력

Gepard는 포탑의 양옆에 모두 8개의 매연 방출장치를 장착하고 있다. 이 장치는 매우 짧은 반응시간과 적외선 조준기를 포함하는 敵의 각종 조준장비에 대해 효과적인 방해 스크린을 제공한다.

다. 제원 및 성능

구 분		내 용
탐 지 및 추적능력	탐지 거리	15km
	추적거리	15km
포 및 포 탑	무 장	30mm × 2
	유효사거리	4km
	발사 속도	550발 / 분 × 2
	탄약장전	AA탄 : 320발, AP탄 : 20발
탑 재 차 량	전투중량	47.5 톤
	탑승인원	3 명
	엔진출력	830 HP
	최대속도	65 Km/h
	항속거리	550 Km
기 타	사격범위(AZ/EL)	360 ° / −10~85 °

제 3 장 대공 유도무기

제 1 절 개 요

미래전은 적의 종심 및 핵심표적의 전략적 타격에 전투력을 집중하기 위한 시간적 공간적 물리적 동시성/통합성이 중요하다고 할 수 있다. 이에 따라 적의 공중표적과 지상의 전략적 종심을 목표로 하는 공세적 방책인 전략적 타격 개념이 미래전의 중요양상이 될 것으로 예상된다. 따라서 적의 중요 공중표적과 지상거점 및 시설을 정밀타격 할 수 있는 지상발사무기는 이를 위한 중요한 무기체계라 할 수 있다.

이러한 무기체계 중에서도 지상에서 방공을 목적으로 항공기, 무인기 및 유도탄 등의 공중표적을 요격하는 무기체계가 지대공유도무기(SAM : Surface to Air Missile)이다.

지대공유도무기는 발사차량, 대공레이더 등으로 구성되는 발사통제장비와 유도탄으로 구성되며 각종 공중위협으로부터 국지방공과 일정지역에 대한 지역방공 기능을 제공한다. 고도에 따라 저고도(4Km이하), 중고도(4~10Km) 및 고고도(10Km이상)로 분류되며 사거리에 따라서는 단거리(20Km이내), 중거리(20~75Km) 및 장거리(75Km이상)로 분류 할 수 있다.

지대공유도무기 운용개념은 발사통제체계에 의한 표적정보를 획득하고 교전여부를 판단하여 유도탄을 발사하는 단계와 발사된 유도탄을 표적으로 유도하는 단계, 유도탄탐색기에 의한 표적포착 및 요격하는 과정과, 교전결과를 발사통체제에서 확인하는 단계로 운용된다.

이와 같이 운용되는 우리나라의 대공유도무기는 대공포와 중고도 대공유도무기간의 공백을 보완하기 위한 것으로 '80년대 후반 영국으로부터 도입된 재브린과 '90년대 초반 프랑스로부터 도입된 미스트랄과 '90년대 후반 구소련에서 도입한 이글라와 2000년대 초반 국내 자체기술로 개발에 성공한 신궁이 휴대용 대공유도무기로 전력화 되어 있으며 또한 '90년대 말 국내기술로 개발한 단거리 자주 지대공유도무기체계인 천마가 전력화되어 저고도 공역의 대공방어 임무를 수행하고 있으며 중거리 대공유도무기인 호크가 전력화되어 있으며 우리나라에서 자체기술로 개발한 천궁이 호크 대체무기로 운용될 것이다. 또한 장거리 대공유도무기로서는 나이키를 대체한 패트리어트가 우리나라의 중고고도 대공방어 임무를 수행하고 있다.

제 2 절 휴대용 대공유도무기

1. 이글라 9K38(SA-18)

가. 개 요

   이글라 휴대용 대공유도무기 SA-18은 '98년 러시아에서 도입한 장비로 적외선 유도방식이며 육안으로 관찰할 수 있는 저고도 적 항공기와 헬리콥터에 대한 접근 및 퇴각 표적 요격용 장비이다. 아군 보유 휴대용 대공유도무기 중 가장 가볍고 사용 방법이 단순하여 운용이 용이하다. 참고로 북한은 SA-16 장비를 보유하고 있는 것으로 알려져 있으며, '03년 현재 러시아는 SA-18의 개량형인 IGLA-S를 생산 수출하고 있고, IGLA-S 탄두는 3.5Kg으로 기존 이글라와 같으나 사거리는 5.2Km에서 6Km로 증가하였다.

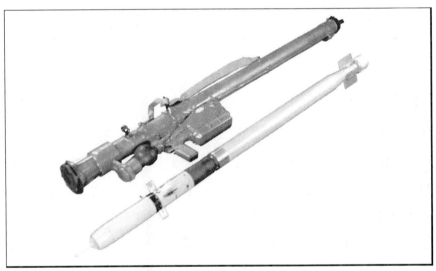

그림 3-1. 이글라 9K38(SA-18)

나. 특 성

   1) 저고도 휴대용 대공 유도무기
   2) 적외선 자체유도방식(fire & forget 방식)
   3) 휴대 간편 무반동 통관식

4) 고체 2단 추진

5) 접근표적 대응 가능

6) 견착식 휴대용 전천후 사격가능

다. 제 원

구 분	내 용	구 분	내 용
유효사거리	5.2 Km	유효고도	3.5 Km
유도탄 속도	1.8 MH	운용온도	−44 ~50℃
전장	169.9 cm	유도탄 무게	10.6 Kg
구경	72.2 mm	발사관 전장	169.9 cm
발사기 중량	6.2 Kg	자폭시간	14 ~ 17초
운용횟수	30회 이상	신관	충격 또는 근접
중량	16.8 Kg (부수기재포함:18.8 Kg)	열광학 유도부 최고방위각	38°

라. 운용 및 작동원리

1) 운 용

공역(Air Space)감시가 용이한 지형에서 사수가 어깨 위에 견착 사격 또는 무릎 쏴 자세로 유도탄을 발사한다. 유도탄은 참호, 수상 및 늪지대 지형에서도 사격이 가능하며, 정지 또는 20Km/h이하 속도로 주행하는 장갑차에서 사격이 가능하다. 대상 표적은 전투기, 전폭기, 헬기이다.

유도탄은 1개의 표적에 유도탄을 동시 또는 연속 발사해서는 안되며 기본적으로 접근표적 방향으로 발사하고 실패 한 경우 퇴각표적 방향으로 발사할 수 있다. 사수는 순간 판단에 중요한 요소가 되는 표적의 형태, 속도, 높이 및 사거리를 판단할 수 있도록 숙달되어야 한다.

2) 작동원리

표적을 조준하고 전원 공급기를 작동하면 유도탄의 적외선탐지기는 표적의 속도와 방향을 감지하여 각 변화량을 적용하고 발사준비를 하며 사격준비가 끝나면 사수가 식별할 수 있도록 불빛이 깜빡인다.

방아쇠를 당기면 유도탄 조종신호가 조준선의 절대 각 변화율에 비례하는 유도 방식을 이용하여 표적에 유도된다. 유도방식은 유도탄이 예측지점에서 표적을 명중시킬 수 있도록 조준선의 각 변화율을 0으로 최소화 시켜야 한다. 유도탄 조준선의 각 변화율은 단일 챈널형 자이로스코프 유도부에서 측정되며 회전하는 유도탄의 단일 챈널 조종 원리에 따라 작동 방법이 다르다. 이것은 유도탄이 비행 중 조종을 지시하기 위해 유도탄의 회전 운동을 이용하는 것을 가능케 한다.

조종력이 작용하는 상태에서 유도탄은 무게 중심부에서 회전하기 시작한다. 유도탄은 표적의 최대 열 발생부를 명중시키게 되며 신관은 충격 또는 반경 1.5cm 근접신관으로 작동한다.

충격 또는 근접 접근 시 주 표적감지기 코일선에 유도전기가 발생하여 주 표적감지기의 영구자석이 움직이며 금속격벽에서 발생되는 와전류의 영향을 받아 뇌관 동작 점화되고 잔류추진모터까지 폭발한다.

마. 주요구성품

1) 열광학 유도부

표적에서 발산되는 열을 감지하여 표적을 자동추적하고, 가(假) 열 표적의 영향을 받는 상태에서도 조준선의 각도 변화에 비례하는 조종 신호를 발생한다. 추적 조종기, 전자회로기판, 본체, 공기역학적 감쇄기, 냉각기로 구성된다.

2) 날개 조종장치

조종날개는 유도탄 전단부에 위치하며 작동기, 터보발생기, 전원공급기, 정류기, 변위각 감지기, 변위각 감지 증폭기, 고체연료 반응추진개스 발생기 고체추진 조종모터 등으로 구성되어있다.

3) 탄두부

파편효과와 탄두의 작약 및 추진모터의 잔류 추진제 폭발에 의해 발생되는 폭풍 효과이다.

4) 추진모터

모터는 유도탄 비행시 순항속도 유지 및 유도탄의 가속, 유도탄의 방출 및 요구되는 각 변화량을 전달하는 기능을 한다. 모터는 발사모터와 추진 모터로 구분된다.

가) 발사모터

노즐 결합체에 7개의 노즐이 있다. 노즐은 탄체에 회전력을 공하기 위해 일정한 각도로 배열되어있고 발사관내에서 연소 후 잔류한다.

나) 추진모터

유도탄의 순항속도를 가속시키고 비행시 순항속도를 유지한다. 사수에 대한 후폭풍의 영향을 고려하여 발사대 5.5m 전방에서 점화되며 연소 종료전 표적에 도달시 탄두와 함께 폭발하여 파괴력을 보완한다.

5) 고정날개

유도탄을 공기 역학적으로 안정화시키고 탄도에서 유도탄을 사격각도로 상승 및 적정 회전속도를 유지하기 위해 설계되어있다.

날개는 발사시 유도탄의 회전으로 인한 원심력의 작용으로 펼쳐지며, 유도탄 세로축과 일정한 각도로 결합되어 유도탄을 적정 회전속도로 유지한다.

6) 발사관

유도탄 포장 용기의 역할을 하고 발사시 유도탄의 최초 탄도를 부여한다. 발사관에는 감지기, 신호램프 조준경, 발사관 연결구, 접속구, 클램프, 멜빵 등이 장치되어있다. 조준경은 전방조준경과 후방조준경으로 구성되며 유도탄의 조준기능을 한다.

전, 후방 조준경의 조준선 축은 발사관 축에서 10° 하향으로 배열되어 저공 비행 표적 공격시 유도탄에 대한 고각을 제공한다.

2. 미스트랄(MISTRAL)

가. 개 요

미스트랄은 1977년 프랑스에서 개발을 시작하여 함정, 지상, 헬기탑재용 등 다양한 형태로 개발되었고 한국과 프랑스를 포함하여 세계 20여개 국에서 운용중인 장비이다. 이장비는 1986 처음으로 프랑스 국내에 실전 배치되었으며 한국은 1992년 프랑스 MATRA Defense 사로부터 상업 구매하였다.

그림 3-2. 미스트랄(MISTRAL)

나. 특성

1) 저고도 휴대용 대공 유도무기   2) 고체 2단 추진

3) 적외선 호밍유도, 근접신관 사용   4) 무반동 통관식

5) 발사후 망각 방식(fire & forget 방식)

☞ 호밍유도: 수동호밍과 능동호밍으로 구분된다.

호밍이란 표적으로부터 신호를 받아 유도하는 방식이다.

능동호밍은 레이더 또는 레이저빔을 쏘아 반사파를 수신하는것이며 수동호밍은 물체에서 발생되는 적외선등을 수신하는 것이다.

다. 제 원

구 분	내 용	구 분	내 용
발사대/유도탄	22.5/19 Kg	탄속도	830m/s(2.5Mh)
유도탄길이	240 cm	유효사거리	0.6 ~ 5.3 Km
유효고도	3 Km	자폭시간	14초(7Km)

라. 운 용

1) 운용절차

가) 피아식별기를 작동하여 적기 여부를 확인한다.

나) BCU 작동 스위치 ON 시킨다. BCU 작동후 40초이내에 발사하지 않으면 시준기내의 BATT 램프가 깜감빡거린다. 이후 5초이내에 발사하지 않으면 BCU를 교환하고 처음부터 재가동해야 한다.

다) 시준기내에 전체원이 잠깐 뜬 다음 포착원만 남고 나머지 원은 사라진다. (미스트랄 조준장치는 시준기와 확대경이 있으며 일반적으로 확대가 되지 않는 시준기로 사격을 한다.

라) 표적을 포착원내에 일치시키면 잠시후 항공기가 포착된 경우가청

음이 들린다. 이 시간 동안 유도탄의 적외선 탐지 장치는 표적의 진행 방향과 속도를 탐지하여 발사제원 상자로 보낸다.

마) 발사제원 상자에서는 선도각을 계산하여 표적에 대한 속도와거리에 적합한 발사원 1개만을 조명하고 나머지 원은 사라진다. 이때 지속적인 가청음이 들린다.

바) 발사원내에 표적을 재포착 후 격발 한다.

마. 구조기능

1) 장치대(삼각대 및 사수의자)

2) 발사제원상자 : 발사전 유도탄 적외선 탐지기로부터 탐지된 항공기항적을 추적하여 조준시 리드를 적용할 수 있도록 시준기내에 해당 조준원을 조명한다.

3) 조준경 : 시준기 및 확대경으로 구성

4) 야간조준경(MITS2)

5) 피아식별기(SB14A2)

바. 작동원리

사수가 조준원내에 표적을 위치시키면 표적이 유도탄 탄두부 적외선 탐지장치를 통해 탐지되고 발사기의 발사제원 상자에서 대략적인 속도와 방향 관련 자료가 처리되어 대략적인 리드가 계산되고 계산 결과에 해당되는 조준원을 조명한다.

이는 발사시 표적에 대한 선도각을 적용하는 것이다. 발사 후 유도탄은 예정된 선도각을 향해 날아가다가 탄두부 적외선 탐지장치의 탐지범위 내에 항공기 엔진에서 발생하는 열이 탐지되면 유도탄은 자동으로 표적을 따라 가게된다.

사. 관련장비

1) 미스트랄 휴대용 대공유도탄 발사기

2) 야간조준경(MITS 2)

3) 피아식별기(SB14A2)

4) 아르곤 충전기(교전모의기의 냉각장치인 BCU 냉매 충전기)

5) 교전모의기(ATPS:Aquisition Tracking Practice system-사수훈련 및 평가)

6) 발사대 시험장비(MISTRAL firing Test Set)

7) BADO : 헤드셑을 통해 저탐 레이더로부터 육성으로 조기경보 수신

3. 신 궁(新弓/KP-SAM)

가. 개 요

그림 3-3. 신 궁(KP-SAM)

신궁은 저공비행하는 적항공기와 헬기를 격추 할 수 있는 휴대용 대공 유도무기로써 국내자체 기술로 개발한 장비이다.

1980년대 무기체계소요 제기되었으며 1995년 개발에 착수하여 2002년까지 개발을 하고 기술평가 시험을 하여 2003년 무기 체계가 채택되어 2005년부터 사단 방공중대등 전후방 부대에 배치하여 대공방어임무를 수행하고 있다. 신궁은 미스트랄과 같은 적외선 수동호밍유도방식에 비례항법유도방식을 추가하여 명중률이 90%대로 타국유사장비보다. 월등히 우수하고 미스트랄보다 중량이 6kg 가볍고 길이가 40cm 짧아 휴대 운용이 용이하다. 적외선 방해대응능력(IRCCM)도 있어 기만용 불꽃(Flare)을 투하하는 적 전투기를 선별 격추 할 수 있다. 운용 방식은 미스트랄과 유사한 형태의 삼각대에 거치 운용하고 견착 사격도 가능하다.

신궁개발의 효과는 유사장비구매가격보다 5000만원이 저렴하여 경제성이 있고 신궁개발 과정에서 축적된 기술은 방산분야에 파급효과가 기대되며 특히 유도무기에 필수 기술인 적외선 탐지기 기술과 유도탄 소형 경량화 기술은 4세대 대전차 유도무기 개발과 단거리 공대공 유도탄 개발에 핵심기술로 활용될 수 있을 것으로 전망된다. 신궁 개발은 정부 주도로 연구개발 하였으며 순수한 국내기술로 생산하였다. 피아 식별기는 최초 해외 도입하기로 하였으나 넥스원 퓨처에서 자체개발에 성공하여 앞으로는 해외도입보다 저렴한 가격으로 대공유도무기에 국산 피아식별기를 사용 하게 되었고 수출도 가능하게 되었다.

나. 특 성

1) 고도의 명중률 (90%)　　　　2) 고체 2단 추진

3) 피아식별 밑 주야작전 가능　　4) 신관 : 근접신관

5) 비례항법/적외선 수동호밍유도방식(Fire & Forget)

다. 제 원

구 분	내 용	구 분	내 용
최대사거리	5.5km	고 도	3.5km
유도탄속도	마하2이상	유도탄 중량	15kg
유도탄직경	80mm	유도탄 길이	166cm
명중률	90%	신관	근접신관

라. 운 용

사단 방공 중대와 전후방 기지 방어용으로 배치하여 운용되고 있으며 공군과 해군에서도 신궁을 운용하고 있다. 미스트랄 도태시 신궁으로 대치 보급할 전망이다. 향후 차량, 헬기, 함정 탑재형으로 운용범위를 확대 할 수 있다. 사수는 주, 야간조준기를 사용하여 표적을 탐지하고 피·아 식별기를 사용하여 표적을 식별 후 발사한다.

마. 사격 절차

1) 목표탐지 : 저고도 탐지레이더 에서 표적 정보획득 주·야간 조준기로 육안관측한다.

2) 파아식별 : 질문기로 송신(모드1. 2 .3/A .4 방법이용)

3) 발사 : 1단계 발사 모터 10m 추진 2단계 비행 모터 최대사거리까지 추진

4) 표적추적 : 유도탄 탐색기가 항공기 배기 열 적외선 추적

5) 격추 : 충격신관 또는 근접신관 작동 탄두 폭발

6) 자폭 : 표적 불명중시 자폭신관 작동 폭발, 지상 우군피해 방지

바. 구조 기능

1) 발사기

가) 장치대 : 장비거치 및 사격(삼각대포함)

나) 주간조준기: 사격전 항공기의 속도와 방향을 탐지하여 선도각을 적용하고 해당 조준원을 조명한다.

다) 야간조준경: 열상장비로 물체의 열을 감지하여 열의 형태를 가시광선으로 형상화 하여 물체를 식별 한다. 열을 발산하지 않는 물체도 배경온도와 0.5도 차이만 있으면 열적외선을 감지하여 물체의 형상이 나타난다.

라) 피아식별기 : 질문기와 안테나로 구성되어 있다.

마) 배터리/냉각제(Battery & Cooling Unit) : 배터리는 유도탄에 필요한 전원공급하고 냉각제는 유도탄내 적외선 탐지기를 냉각시킨다.

2) 유도탄

신궁유도탄은 초당 약 20회 회전 하면서 비행 한다. 대부분 휴대용 대공 유도탄은 무게와 부피를 최소화 하면서도 안정을 유지하기 위하여 유도탄을 회전하면서 비행하도록 설계하였다.

신궁 유도탄은 앞·뒤에 두 세트의 날개가 있는데 앞쪽 조종날개는 유도 조종을 하고 뒤쪽 꼬리날개는 탄의 회전을 담당한다. 최초 회전은 사출 모터 6개의 노줄이 약간씩 기울여져 있으므로 분사가스의 방향을 틀어 탄을 회전시킨다. 유도탄이 발사관을 이탈한 후 부터는 뒷날개로부터 회전력을 얻는다. 뒤쪽 꼬리날개는 유도탄을 회전시킬 수 있도록 약간씩 기울어지게 설계되어 있으며 이러한 뒷날개 회전력에 의해 유도탄이 초당 약 20회전을 하면서 비행한다.

1) 유도탄 전방 돌출부 역할

신궁과 같은 휴대용유도탄 전방에 화살과 같은 돌출부가 있다. 이 돌출부를 항력 감쇄기라하고 공기에 대한 저항을 줄이기 위한 설계이다. 유도탄이 비행 중에 받는 힘은 유도탄의 추진기관으로부터 받는 추력(Thrust)과 공기로부터 받는 항력(Drag force)이다. 휴대용 유도무기는 무게는 가볍고 속도는 빠를수록 유리하다. 따라서 최소의 추진제로 비행속도를 높이기 위해 유도탄의 공기저항을 줄이는 설계를 하게 된다.

이 항력은 유도탄 단면적이 넓을수록 커지고 속도가 빠를수록 커진다. 유도탄 단면적을 줄이는 것은 한계가 있고 속도는 줄일 수 없어 항력 감쇄기를 부착하게 되었다. 휴대용 유도탄 항력감쇄기는 공기 저항을 줄여 유도탄 속도를 높이는 중요한 역할을 한다.

사. 작동원리

비행간 항공기 속도 및 방향에 따르는 시선 각 변화율을 적용하여 비례항법 원리(PNG)와 표적적응 유도방식(TAG)을 모두 사용하여 비행하는데, 비례항법 원리를 적용할 경우 유도탄을 최단거리로 항공기에 접근시킬 수 있다. 유도탄은 최초 발사모터에 의해 약 10여m를 비행하고 이후 비행모터로 비행한다. 즉, 모터는 1차 발사모터(부스터)와 2차 비행모터(서스테인)로 나뉘어 연소(2중 추력방식)하며 부스터는 최대속도까지 가속 시키고 비행모터는 유도탄 속도를 일정하게 유지시킨다. 유도탄 전면의 적외선 탐지기(IR Seeker)는 항공기 배기구 열 적외선을 감지하여 적기를 추적하는데, 유사 표적과 실제표적을 구별하도록 근적외선(flare)영역과 원적외선(표적)영역을 각기 감지할 수 있는 2색 탐색기(two color seeker)를 사용함으로서 적외선 방해대응 방책(IRCCM : Infrared Counter Counter Measure)을 보유하여 실전에서 명중률을 향상 시켰다.

1) 비례항법 유도(PNG: Proportional Navigation Guidance)

목표물의 진행방향을 예측하여 유도탄을 예상 명중지점으로 바로 접근시키는 것으로 항공기를 측 후방에서 따라가는 것이 아니라 미리 항공기가 날아올 방향으로 비행함으로써 표적격추를 위한 유도탄의 최단거리 비행이 가능하고 급격한 방향전환이 없어 탄도 안정과 명중률 향상 효과를 제공한다. 작동원리는 발사 전 표적추적 시 탄두의 유도부 자이로가 표적이동에 따른 각 변화율을 측정하고 발사 후 측정된 가 변화율을 적용하여 조준하므로 유도탄은 표적의 진행방향으로 날아가게 된다.

2) 표적적응 유도(TAG: Target Adaptive Guidance)

휴대용 대공유도탄은 탄두가 작아서 항공기의 측 후방에서 폭발할 경우 위력이 충분하지 못하여 항공기에 결정적인 타격을 주지 못할 수 가있다. 이러한 제한사항을 보완하기위해 유도탄이 표적에 근접 도달 시 표적 방향으로 선회각을 크게 하여 표적 항공기의 동체를 향해 폭발 에너지가 집중될 수 있게 하는 것이다. 즉, 선회각의 방향은 시선각의 진행 방향이 되며 선회각의 증가량은 시선 각속도에 의해 결정된다.

4. 스팅거(stinger)

가. 개 요

저고도 침투 항공기를 격추하기 위해 레드아이 유도탄을 개량한 휴대용 열추적 유도무기로 '82년부터 생산하여 배치 운용하며, 저속·저고도 표적 요격 격추시킬 수 있는 능력을 갖고 있다.

스팅어는 보병이 어깨에 올려놓고 발사하는 견착식에서 부터 헬기 탑재 공대공 미사일에 이르기까지 미국제 무기를 사용하는 거의 모든 국가에서 가장 널리 활용되는 장비중의 하나이다.

특히 이 장비는 아프가니스탄 내전 당시 미중앙정보국(CIA)에 의해 반소(反蘇) 회교 무장반군(무자히딘)측에 제공되기도 했다.

당시 소련군은 아프가니스탄이 해발 1000m 이상의 산악지대인데다 무자히딘 반군들을 소탕하기 위해서는 웬만한 대공 포화에도 견딜수 있는 강력한 장갑에다 무장 능력을 갖춘 대형 무장 헬기의 투입이 필요하다는 사실을 간파했다.

이에 따라 소련군은 당시 동 유럽전선에 배치되었던 중대형 MI-24 (하인드)헬기를 아프가니스탄에 투입했다.

이에 따라 CIA는 소련과의 외교마찰등 부작용을 우려하여 이 장비를 카쇼기를 포함한 아랍 무기상이나 인접국인 파키스탄등을 통해 우회적으로 제공하기 시작했다.

무자히딘 반군측에 제공된 스팅어미사일은 이내 효과를 발휘하기 시작했다. MI-24는 물론이고 카불 공항등을 통해 중앙아시아의 소련군 기지등에서 병력과 장비를 반입해 오던 대형 수송기및 반군 기지를 폭격하던 폭격기들이 속속 스팅어의 제물이 되어 버렸다. 그만큼 스팅어미사일의 위력은 대단하다고 할 수 있다.

그림 3-4. Stinger

나. 제원 및 성능

구 분	내 용
전장(m)	1.52
직경(m)	0.07
발사중량(kg)	10.1
추진장치	고체 연료추진체 및 지속추진 로켓모터
유도방식	FIM-92A 수동적외선 유도방식, FIM-92B/C 수동 적외선 및 자외선 유도방식
최대사거리	5.5
최대유효 고도(km)	3.5(FIM-92A)/3.8(FIM-92B/C)
최대속도(Mach)	2.2
제작사	Hughes, Raytheon(미국)

다. 특 성

1) 저속 저고도의 회전익 항공기, 관측기, 수송기에 위협적

2) 헬기, 함정, 차량 등에 장착하여 사용

3) 피아식별 장치를 보유하고 있어 조기에 피아식별이 가능

4) 표적추적은 적외선 열추적 자체 유도방식

5) fire and forget 방식으로 사격 후 사수가 유도탄을 통제할 수 없음

6) 접근표적에 대한 명중률이 높음

7) 소수의 사격조로 광범위한 지역방어 가능

8) 기동부대 및 전투지원부대에 단거리 대공방어 제공

제 3 절 단거리 유도무기

1. Roland

가. 개 요

　　Roland 무기체계는 단거리 대공 유도무기체계중 대표급이라 할 수 있으며, 1972년 독일과 프랑스에서 Franco-German 조인에 따라 비행장과 같은 중요시설을 방어하기 위해 공동 개발되었으며 이 시스템은 궤도차량(프랑스는 AMX-30, 독일은 Marder) 또는 Carol 쉘터(지상, 트레일러 또는 트럭에서 운용할 수 있으며, 항공기 수송이 가능)에 탑재할 수 있다.

그림 3-5. Roland

나. 제원 및 성능

구 분	내 용	구 분	내 용
제작사	Messerschmitt-Bolkow-Blohm (독일)+Aerospatiale(프랑스)	사거리	・최대 : 6.3km(II), 8km(III) ・최소 : 0.5km
길 이	2.4m	고 도	・최대 : 5.5km(II), 6km(III) ・최소 : 10m
무 게	65.5kg(II), 75kg(III)	직 경	0.16m
탄 두	6.5kg HE Hollow Charge, 3.3kg Explosive(Roland II), 9.2kg HE Hollow Charge, 5kg Explosive(Roland III)	유 도 방 식	시선지령 유도
		속 도	500m/s
신 관	충격/근접	재장전	6초

다. 특 성

최신의 Roland 3 시스템은 전천후 시스템으로 레이더, 적외선 및 광학 감시/추적장치, 그리고 CLOS 유도장치를 장착하고 있으며, 사거리는 8km이며 특히, VT-1 미사일은 사거리가 12km까지 연장할 수 있다.

탑재차량에 대한 항법장치를 보유하고 있으며, 표적 탐지시 운용자에게 표적출현 경고음 신호를 전달하고, 유도탄 후미에 부착된 추적용 불꽃의 위치로 유도탄 위치 편차 계산 및 유도탄 표적방향을 유도한다.

2. 천 마(天馬)

가. 개 요

천마는 최신예 한국형 단거리 지대공 유도 무기이다. 야전군 기동부대와 수도권 주요 군사기지 국지 방어를 위한 한국형 단거리 지대공 유도무기체계에 대한 국내개발이 요구됨에 따라 국방과학연구소가 주관하고 대우 삼성 LIG넥스원 등 다 수의 방산 업체와 산. 학. 연의 유기적인 협조로 1985년 소요제기 이후 1999년 개발에 성공하기까지 1300억원을 투자하여 개발한 장비이다. 대부분의 선진국 무기체계와 마찬가지로 지상에서 유도명령을 송신하여 목표물을 요격하는 시선지령 유도방식 (Command to Line Of Sight) 을 채택하였다. 탐지 및 추적 레이더와 사통장치, 유도탄 8발을 단일 장갑차량에 탑재한 집중형 유도무기체계로 운용이 간편하고 거리20km 고도 5km 내에 어떠한 항공기라도 탐지 추적이 가능하다. 또한 천마는 고도의 명중률로 중·저고도 표적을 효과적으로 파괴할 수 있으며 주야간 전천후 작전능력과 신속하게 진지를 이동할 수 있고 작전반응시간이 짧아 한반도와 같은 전장 환경에서 효율성이 높은 대공유도무기 체계이다.

천마는 피 지원 부대 지휘관이 선정한 방공 우선순위에 따라 주요 군사 및 국가시설과 기동부대에 대한 중 저고도 대공방어 임무를 수행한다.

그림 3-6. 천 마

나. 특 성

1) 시선지령유도방식(CLOS)

2) 야지 기동성 양호(10기통/디젤)

3) 대 전자전 방어기능 보유

4) 화생방 탐지, 경고 및 방호

5) 사수. 조원 장갑보호

6) 표적 피·아 식별

7) 항법장치로 자세 및 좌표 정보제공

8) 이동 간 목표탐지 및 추적

9) 레이더 화면 분석용이

10) 자체점검 기능 보유

11) 고체 1단 추진

12) 야간 관측용이 / 전천후 사격

13) 냉난방, 환기 및 습도자동 조절

14) 인체 공학적 내부 공간 설계

다. 제원

1) 사통 능력

가) 탐 지

· 표적탐지거리 : 20km

· 고도 : 5km

· 안테나회전 : 40RPM

· 피아식별사용모드 : 1,2,3 / A,4

· 주파수대역 : S 밴드

· 전원주파수 : 400Hz

나) 추 적

- 추적거리 : 16km
- 반응시간 : 10" (표적지정.발사)
- 표적수량 : 8개표적 동시추적
- 주파수대역 : KU

다) 기 타

- 유도방식 : 시선지령(CLOS)유도
- ECCM : 자동처리

2) 화 력

- 가) 유도탄 탑재 : 8발
- 다) 단발 명중률 : 사거리 내 80%
- 마) 살상반경 : 8m
- 사) 사정거리 : 0.6~9km
- 자) 탄두 : 집중식 파편형
- 카) 유도탄외경 : 165mm
- 나) 유효고도 : 5km
- 라) 신관 : 근접(광학식) / 충격
- 바) 유도탄 길이 : 2630m
- 아) 유도탄 속도 : 2.6MH
- 차) 추진로켓 : 고체 1단
- 타) 유도탄무게 : 86.2kg

3) 물리적 특성

- 가) 전투중량 : 26.5톤
- 다) 엔진출력 : 520hp
- 마) 높이(ANT세움 / 눕힘) : 5.4 / 3.6m
- 나) 엔진 : 10기통 / 디젤
- 라) 전장 : 7.1m
- 바) 폭 : 3.4m

라. 운 용

1) 개 념

천마체계는 해상 및 산악 지형을 이용한 저고도 기습 공격에 대응하기 위해 적 항공기 접근로에 배치하여 중 저고도 대공방어용으로 운용 한다.

또한 수도권 지역에 대한 국지 방공능력을 보강하며 평시 집결 보유하다가 유사시 주공 및 조공부대에 배속되어 대공방어 임무를 수행한다. 통신장비를 통한 타 체계와의 Data Link를 통하여 협동운용이 가능하므로 다수의 적 침투 시 공동작전을 수행한다.

천마 운용자는 차량 조종수, 분대장, 사수, 부사수 총 4명이다. 유도탄 8발을 장전하고 대공 방어임무를 수행하며 화생방 탐지기능을 보유하고 있다.

2) 장비 가동

천마 체계는 다음 5가지 모드로 운용된다. 각각의 모드는 레이더 통제용 콘솔의 운용자가 선택할 수 있다.

가) 셋업모드(Configuration Setting Mode)

나) 작전훈련모드(Operational/Training Mode)

다) 수송 / 유도탄 장착모드(Transportation/Missile Loading Mode)

라) 자체점검 모드(Built-In-Test Mode)

마) 정비모드(Maintenance Mode)

마. 구 조

1) 외부구조

발사관다발 좌우 2개, 탐지레이더, 추적레이더, 발사터렛. 탑재차량. 발전기 세트 등 총 6개의 주요 구성품으로 체계를 구성하고 있다.

2) 내부구조

사격을 통제하는 주 장비와 부수장비로 구성되어 있다.

3) 발사터렛

포탑 부위에는 탐지레이더와 추적레이더, 주간감시 카메라 등 주요부품이 결합되어있다.

바. 장치별 기능

1) 탐지추적장치

탐지추적장치에는 탐지레이더, 피아식별기, 추적레이더, 전자광학 장치로 구성되어 있으며 표적의 탐지, 위협평가 및 탐지간 추적수행, 탐지된 표적 중 선택된 1개 표적추적, 유도탄의 추적 및 원격조정, 전자 방해 방어책(ECCM)의 적용, 탐지영역 내에 있는 표적에 대한 피·아식별의 기능을 가지고 있다.

가) 탐지레이더

- 안테나 : 고주파 방사, 반사된 펄스 검파, 송수신기로 재전송 피·아식별 안테나 설치
- 증폭기 : 송수신기에 의해 전달된 신호 증폭, 송수신기와 명령, 동기 및 기초신호 교환. 28VDC & 200V 400hz 전원 사용
- 송수신기 : 고주파 신호 생성, 수신신호를 영상신호로 변환 데이터 처리기와 신호교환
- 데이터 처리기 : 탐지레이더 송수신기에 의해 생성된 신호처리

나) 피·아식별기

- 안테나 : 피·아식별 신호를 송수신
- 송수신기 : 변조기에서 생성된 신호 송신, 신호 수신 및 증폭
- 데이터 처리기 : 송수신기와 자료교환, 시스템 오류표시, 기능점검

다) 추적레이더

- 안테나 : 고주파 방사 및 수신
- 결합기(피드혼 결합기) : 고주파를 일정한 전달모드로 생성 및 결합
- 송신기로부터 받은 고주파를 안테나로 전달
- IF 수신기 : 수신한 고주파 증폭 및 변환
- RF 헤드 : 고주파 송수신에 관련된 신로 처리
- 보조안테나 : 유도탄 초기 유도단계시 유도신호 송수신
- 고저각 구동장치 : 추적레이더 포탑 구동

라) 전자광학장치

주간에 표적 광 신호를 전기적신호로 변환, 증폭, 영상신호 출력을 하는 주간감시카메라와 초기유도단계 시 비행하는 유도탄을 추적레이더 빔안으로 들어오도록 유도하는 적외선 측각기가 있다.

2) 사격통제장치

유도탄을 목표물에 정확하게 유도하기 위하여 필요한 사격 제원을 계산하여 유도탄에 입력시키며 발사를 위한 제반 절차와 발사 후에도 탐지추적 장치로부터 입력되는 표적정보와 유도탄 정보를 이용, 유도명령을 계산하고 추적 레이더에서 방사되는 빔에 유도신호 정보를 실어 유도탄을 유도한다. 그리고 발사 진행 과정과 유도탄이 목표물에 유도 되는 과정을 확인한다. 주요 구성품에는 레이더 통제용 콘솔과 사격통제용 콘솔이 있다

3) 회전발사

발사터렛에는 좌, 우 각 4발의 유도탄 다발이 장전되고 중앙에 탐지레이더를 지지하며 후면에 전자 장비들을 수용하는 전자장비 캐비넷이 있고, 방위각으로 동축 구동되는 시스템으로서 탐지 추적장치, 사격통제장치로부터 신호를 받아 방위각 및 고각을 표적 방향으로 지향하는 2축 구동 시스템이다.

가) 페데스탈

회전발사대 전체를 지지하고 차체에 설치하기위한 구조물이다.

나) 회전판

회전발사대 각 구성부품배치, 결합되어 포탑 구동체계를 지탱하는 구조물이다.

다) 포가

구동축을 지지하는 좌, 우 한개씩의 수직형 구조물이다.

라) 구동축

기어열에 의해 동시 고저각 회전 운동을 하는 조립체 회전시 발사대의 모멘트 변화에 의한 시스템의 안정성을 유지한다.

마) 유도탄 결합체

유도탄 발사관을 4발씩 다발로 묶은 결합체

바) 전자장비 캐비넷

탐지레이더 잠금장치, 피·아식별 송수신장치, 방위각 및 고각증 폭기, 서보제어기, 공기조절기 등이 부착되어 있다.

4) 유도탄

가) 조종장치

40hz속도로 유도명령 전송, 조종장치내 감지기를 통해 유도탄이 안정되게 비행하여 표적에 접근하도록 구동명령을 만들어 작동기에 보낸다.

나) 탄 두

파편 집중형이며, 압축형 복합화약을 주장약으로 하였다.

다) 신 관

능동레이저 광학방식으로 탐지거리는 8m이다.

라) 추진기관

유도탄을 표적까지 운반하는데 필요한 에너지를 공급하며 단순 추력형이고, 무연추진제를 사용한다.

마) 전방날개

비행중 양력을 발생시키며, 추진기관 브래키트에 볼트로 연결, 발사관내에 접혀져 있다.

바) 조종날개

작동기에 조립되어 있으며 작동기에 의해 조종되어 유도탄의 비행자세 및 방향을 제어한다.

사) 작동기

10,000 PSI 헬륨 고압개스를 충전하여 4축의 조종날개를 작동함으로써 유도탄의 비행방향과 자세를 제어하는 장치이다.

아) 지령수신기

4추적레이더로부터 변조된 유도지령을 수신하여 조종장치에 전달하고 추적레이더가 유도탄의 위치를 측정 할 수 있도록 레이더로부터 송신된 펄스를 수신한다.

5) 탑재차량

단거리 지대공 유도무기 체계를 탑재하고 1명의 조종수와 3명의 승무원 탑승, 운용하는 궤도형 장갑차량이다.

6) 체계 부수장치

가) 발전기 세트

개스터빈엔진 구동력에 의해 체계에 필요한 교류전원(220V 400Hz 3상 3선식) 및 직류전원(28V)을 발전하여 공급한다.

나) 전력변환기

터렛 구동에 필요한 직류전원을 주 배전상자로부터 교류전원을 받아 직류전원으로 변환하여 캐패시터 상자에 에너지를 저장하여 급속 구동시 최대소요 전력을 공급한다.

다) 축전지

발전기세트 시동, 차량시동 및 차량 전장품, 통신장치, 지상항법장치 등의 운용에 필요한 전력을 공급한다.

라) 전력장치 및 공기조절기

승무원이 체계운용시 최초로 조작하여 무전기를 제외한 체계의 모든 장비에 전원을 공급하는 것으로, 운용을 제어하기위한 스위치류, 운용상태를 감시하기 위한 지시등이 설치되어있다.

마) 전력제어기

발전기 세트 동작을 제어하며 발생된 전원을 각종 장비로 분배, 공급한다.

바) 주 배전상자

전력공급제어기로부터 200V 400Hz 및 직류 28V 전원을 받아 체계에 필요한 각종 전원을 생성 및 공급한다.

사) 연결상자

차량외부로부터 보조 전원공급 및 체계 내부통화 체계시험 및 정비신호, 내외 교신을 위한 연결상자이다.

아) 공기조절기

승무원실 또는 장비에 냉, 난방 공기를 공급한다.

자) 무전기 세트(VRC-947K)

내·외부 송수신이 가능한 무전기로서 상호 통화기 세트용 제어장치, 저주파 증폭기, 송수신기 고출력 증폭기 차량 장치대 등으로 구성 되어있다.

차) 육상차량용 항행세트

운행데이터를 전시하는 운행전시기(CDU), 차량의 진행방향을 조종수에게 알리는 지방향지시기(VHI), 차량의 운행거리를 측정 및 표시하는 운행거리 측정기(VMS), 차량의 자세정보를 제공하는 방향탐지기(INP)가 있다.

사. 사격과정

1) 탐지 및 피아식별

천마의 탐지레이더는 20km부터 탐지가 가능하고 표적이 탐지되면 자동으로 피아식별을 하게 되며 다수 표적일 때는 8개 표적까지 레이더 화면(PPI)에 전시된다. 다수표적일 때는 레이더에서 위험 분석을 하여 교전표적을 지정한다.

2) 추 적

표적이 지정되면 16km 에서부터 추적레이더는 지정 표적을 계속 추격하며 사격준비가 이루어진다. 컴퓨터가 계산하여 표적이 교전가능지역에 접근하면 발사 스위치를 누른다.

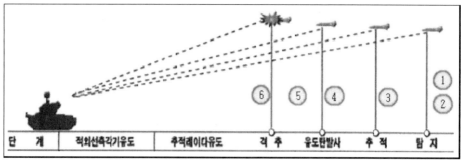

그림 3-7. 천마 사격과정

3) 발사 및 비행

사수가 "FIRE" 버튼을 누르면 발사신호가 유도탄 통제기를 거쳐 유도탄을 발사 시킨다. 유도탄은 날개가 접혀진 상태로 발사관 내에 있다가 발사 후 날개를 펴고 초기자세를 잡는데 0.5초~0.8초가 소요되고 또한 초기유도단계로 유도탄을 추적레이더 빔폭내로 유도하는 시간이 약2초가 소요된다. 따라서 유도탄은 발사된 이후 약 2.5초 지나야 레이더에 의한 정밀유도가 가능하고 이때거리는 약600m 지나게 된다. 또한 사수나 우군을 보호하기 위하여 발사 후 2.2초가 지나야 유도탄신관의 전기식 안전장치가 자동적으로 해제되도록 설계되어 유도탄이 약600m를 비행하여야 신관이 폭발준비를 완료된다. 이런 이유로 천마의 사거리는 0.6 ~ 9km로 되어있다.

4) 초기 유도단계(적외선 측각기 유도)

추적레이더는 천마중앙에 위치하고 유도탄은 추적레이더 좌우측에 장착되어 있어 유도탄이 발사관을 출발할 때 추적레이더빔과 평행선을 이루게 되어 추적레이더에 의한 유도가 불가능하다. 이 문제를 해결하기 위하여 적외선 측각기를 이용하여 비행하는 유도탄을 추적 레이더빔 안으로 들어오도록 유도한다. 이때 유도신호를 보조안테나를 이용하여 유도탄으로 송신한다. 이렇게 비행하는 유도탄을 추적레이더 빔 안으로 유도하는 것을 초기유도단계라고 하며 약 2.5초~2.8초가 소요된다. 이때 유도탄은 약0.6km 비행한다.

5) 본 유도단계(추적레이더 유도)

초기유도단계에서 유도탄이 추적레이더빔 안으로 들어옴으로 이후부터 추적레이더가 유도탄이 표적에 명중할 때까지 유도하며 이를 본 유도단계라 한다. 유도방식은 시선유도방식(CLOS)으로 추적레이더로 표적과 유도탄이 일직선상에 위치하도록 유도한다.

6) 탄두 폭발(격추)

유도탄 탄두는 표적에 명중(충격신관) 하거나 표적8m이내 접근 시 (근접신관) 폭발한다. 유도탄이 표적을 벗어나면 안전을 위해 유도탄이 자폭한다. 사수가 자폭신호를 보내 자폭시킬 수도 있다.

제 4 절   중거리 유도무기

1. 호크(Hawk)

가. 개 요

　　Hawk는 저·중고도로 침투하는 적 항공기나 유도탄을 무력화시키는 대공 유도무기로서 1953년 최초로 미국에서 개발하였고, 1964년 포대지 휘소에 디지털 제원처리기와 함께 중앙 제원처리기를 설치함으로써 표적처리, 위협순위 결정, 표적의 요격확인 등 절차를 자동적으로 수행할 수 있도록 개량하였다.

그림 3-8. 호크

나. 주요제원 및 성능

1) 전 장 : 5.08 m　　　　　　　2) 최대사거리 : 40 km

3) 직 경 : 0.37 m　　　　　　　4) 발사중량 : 584 kg

5) 최대유효고도 : 18 km　　　　6) 탐지거리 : 110km

7) 탄두중량 : 45 kg (HE)　　　　8) 최소유효고도 : 30m

9) 추진장치 : 고체 연료부스터　　10) 최대속도 마하 : 2.5

11) 유도방식 반능동레이더　　　　12) 교전거리 : 40km

다. 특 성

1) 적의 전자방해 상황하에서도 임무수행이 가능하며 최소의 반응시간으로 전방향 사격을 실시할 수 있다.

2) 적절한 진지변환으로 생존성 보장과 지속적인 방공작전이 가능하며 주.야간 및 전천후 방공작전을 실시할 수 있다. 편제 차량 및 항공기를 이용한 지상 및 공중이동 또한 가능하다.

3) 발사대는 3발의 미사일을 적재한 견인트레일러 장착형이며, 호크 포대는 포대와 추진사격소대로 분리 운용할 수 있고 포대 생존성과 지속적인 방공작전 임무수행을 위해 예비진지로의 진지변환이 가능한 기동성을 보유하고 있다.

라. 운용국가

1) HAWK 기본형(MIM-23A)은 1960년에, B형은 1973년에 작전배치되었고, 세계적으로 약 20,000기가 있으며, 1982년 8월 이스라엘이 시리아 공군의 MIG-25R 정찰기(속도 M2.5, 고도21Km)를 격추한 바 있다.

2) 현재 한국에서 사용하고 있는 호크 무기체계는 지난 '64년 도입되어 운용 중에 있다

2. 천궁(天弓)

가. 개 요

그림 3-9. 천 궁

천궁은 지대공유도무기로 2006년 체계개발에 들어가 2011년에 개발 완료한 국산 무기체계이다.

우리 군의 방공 능력을 획기적으로 높여 줄 천궁은 적기를 추적할 수 있는 지상 다기능 레이더·유도탄과 발사대, 그리고 이를 지휘통제할 수 있는 교전통제소 등 차량 3대로 구성된 무기체계다. 천궁은 다기능레이더, 수직발사, 중기 관성유도에 따른 종말 호밍 유도방식 등 최신 방공유도무기의 발전 추세를 모두 적용한 최신 개념의 방공유도무기로서 작전 영역은 사거리 개념에서 볼 때 중거리에 해당된다. 보통 사거리 5㎞ 안팎은 신궁이나 미스트랄과 같은 휴대용 대공유도무기, 사거리 10㎞ 내외는 천마를 비롯한 단거리 대공유도무기의 작전 공간이다. 이후 사거리는 중·장거리 개념인데 현재까지 중거리 유도무기의 대명사는 호크(HAWK), 장거리는 나이키(NIKE)와 패트리엇이다. 천궁은 최대사거리 40㎞로 바로 호크의 자리를 대체하게 된다.

이에 따라 지근거리에서 중거리에 이르기까지의 방공작전 영역을 30㎜ 쌍열 자주대공포 비호, 휴대용 유도무기 신궁 및 단거리 유도무기 천마, 그리고 천궁 등 모두 국내 기술력으로 개발한 무기체계가 주력, 핵심으로 담당하게 됐다.

나. 특성

1) 복잡한 레이더를 하나로 통합

천궁의 다기능레이더는 종전의 포대가 탐지레이더, 추적레이더, 피아 식별레이더 그리고 명령 송·수신장치 등 다양한 장비로 운용되던 것을 단일 레이더로 통합하고 있다. 따라서 포대 장비의 구성이 단순하고 작전 배치나 운용 면에서 편이성이 매우 향상됐다.

또 세계 최초로 안테나 회전·정지모드 복합 운용방식을 적용해 360도 전 방향의 위협에 대해 대처가 가능하며, 적의 집중 위협이 있을 때에는 특정 방향에 온 능력을 집중할 수 있어 효과적으로 대처할 수 있다. 특히 레이더는 좁고 정밀한 고출력의 레이더빔과 다양한 파형(waveform), 주파수 민첩성(Frequency Agility)을 갖고 있어 원천적으로 강한 대전자 방해능력(ECCM)을 갖는다.

2) 360도 전 방향으로 신속 공격

수직사출발사 방식을 채택한 천궁 발사대 구조는 간편하고 경량화 되어있다. 유도탄이 발사대 내에서 점화되지 않고 상공으로 사출된 후 공중에서 점화되므로 발사대의 화염처리가 불필요하기 때문이다. 또 수직발사 방식은 경사형 발사 방식과는 달리 표적 방향으로 발사대를 회전할 필요가 없다. 나아가 유도탄에 마이크로 측추력 모터를 적용, 유도탄이 수직 사출 후 공중에서 초기 방향 전환을 신속히 할 수 있어 어느 방향으로 적기가 침투해 오더라도 완벽히 대처할 수 있다.

천궁 유도탄의 탐색기는 유도탄이 표적에 근접해 동작하는 특성이 있다. 이 때문에 상대 표적인 적기는 천궁 유도탄을 조기에 인식하지 못한다.

또 유도탄은 고속·고기동의 능력을 갖고 있어 회피 기동하는 표적도 요격할 수 있다. 유도탄은 신속히 최고속도를 낼 수 있는데, 중기유도단계까지는 공기의 저항을 최소화할 수 있는(에너지 절감) 비행 궤적을 채택, 비행하므로 최대 사거리에 이르러서도 급기동에 필요한 종말 속도를 낼 수 있는 것이다.

3) 1/2000초의 표적지향 탄두

천궁 유도탄의 또 하나의 특징은 표적지향성 탄두를 채택하고 있다는 점이다. 이 탄두는 폭발 시 파편과 에너지가 원주방향으로 균일하게 분산되는 일반 탄두와는 달리 탄두 바깥쪽에 형상변형 화약을 부착, 1차 폭발시켜 탄두를 변형시킨 후 2차로 내부의 주탄두가 폭발할 때 이 변형된 방향, 즉 표적 방향으로 폭발력이 집중되는 점이 특징이다. 이 때문에 일반 탄두보다 2배 이상의 폭발력이 집중된다.

신관의 표적위치 탐지로부터 탄두의 변형 및 주탄두 폭발 등으로 이어지는 복잡한 작동 과정이 2000분의 1초 이내의 짧은 순간에 이뤄진다. 표적지향성 탄두는 소형화하면서도 원하는 폭발력을 얻을 수 있어 유도탄 경량화에도 장점이 있다.

제 5 절 장거리 유도무기

1. 패트리어트(Patriot)

가. 개   요

1960년대에 개발이 시작된 패트리어트 미사일 체계는 1982년 최초로 실전배치된 이래 지속적인 성능개량이 이어지고 있다. 초기에는 나이키와 호크 등을 대신한 항공기 요격을 주로 염두에 뒀으나, 순항미사일과 탄도 미사일에 대한 요격능력을 갖춘 PAC-2, 탄도미사일 방어능력을 한층 높인 PAC-3로 업그레이드가 이루어진 바 있다. PAC-2는 목표발견에서 요격까지 2~3분가량 소요됐으나, PAC-3는 45초 내외가 걸리는 것으로 알려졌으며 직접 충돌방식으로 탄도탄에 대한 파괴력을 강화했다. 현재 우리공군이 보유하고 있는 모델은 유도탄 요격기능을 갖춘 PAC-2형 미사일을 사용하는PAC-3의 두 번째 성능향상 모델인 conf-2이다.

그림 3-10. 패트리어트

나. 제원 및 성능

구 분		내 용	구 분		내 용
요격능력 (사거리/ 탄도탄)	항공기	160/ 24.4km	유 도 탄	길이/ 직경	GEM : 5.3/0.41m Pac-3 : 5.2/0.25m
	탄도탄	25~37/15 km		속도/ 기동성	GEM : 5마하/30G Pac-3 :3.5마하/60G
교전능력	반응 시간	8초		무게 (탄두)	GEM : 936(75kg) Pac-3 : 315(11)kg
	동시 교전	9대		유도 방식	GEM : TVM Pac-3 : TVM, 능동
명중률	항공기	77%		추진 장치	교체추진체 로켓모타
	탄도탄	70%		설치/ 작전준비	30분
탐지/ 추적거리	항공기	170km		최초생산	1982년
	탄도탄	132km		발사방식	지향발사
기동성		트레라 견인	제작사		Raytheon(미)

· 레이더

P-1	P-2		P-3			
	기본형	QRP	Con-1	Con-2	Con-3	
					Initial	Final
SOJC (대원거리 재머)	ATM (대전술탄도탄)		GEM (요격능력 향상)		GEM+ (저 RCS 요격)	PAC-3탄 (직격파괴)

다. 특 성

가) 목표물 대응능력

1) 적 미사일의 조기경보에 의해 레이더는 최대 100km 범위내에서 탐지 및 포착 가능.

2) 목표물에 대한 대응은 수동, 반자동, 자동모드중 선택적으로 수행되며 목표물을 격추시키기로 결정되면, 교전통제소는 발사대를 선정하고 데이터가 VHF나 광섬유 데이터 링크를 통하여 선택된 미사일로 전달.

3) 미사일 추적지령 Uplink와 TVM Down Link는 유도탄과 레이다 사이에서 유도탄의 비행이 모니터 되도록 하며 유도탄 유도지령을 교전통제소내의 무기관제 컴퓨터에서 제공.

4) 미사일이 목표물에 접근하게 되면 TVM 유도시스템은 활성화되며 미사일은 목표물을 향해 조향됨.

나) 요격능력

1) 대항공기 요격시는 1발의 미사일을 발사하지만 대탄도미사일에 대해서는 2발을 연속적으로 발사하여 성공률을 높일 수 있음.

2) 패트리어트 탄두는 레이더 작용 신관과 고밀파편들로 구성되며, 신관은 목표물 근접거리에서 작동되어 목표 비행물체의 비행방향과 각도를 고려하여 명중시킬 수 있도록 장치되어 있음.

3) 포대는 진지에 이동하여 작전시까지 30분정도 소요되며, 탐지에서 발사까지는 약 6초가 소요되고, 미사일 폭파까지 8초로서 탐지에서 폭파까지는 15초 이내에 자동처리되고, 격추판정에는 약 10초가 소요됨.

라. 주요구성품 기능

1) 레이더

가) 패트리어트의 다기능 C밴드 위상배열레이다는 목표물 탐지, 추적 및 식별, 미사일 유도와 전자전 대응대책 기능을 가지고 있음.

나) 위상배열레이다는 교전통제소내의 디지털 무기관제 컴퓨터에 의해서 자동적으로 통제됨.

다) 이 레이다시스템은 동시에 100개의 목표물을 추적할 수 있는 능력을 가지고 있으며, 9개까지의 패트리어트 미사일을 유도할 수 있어 다수표적에 대하여 동시 요격 가능.

라) 통상 레이다는 트레일러에 탑재되어 차량으로 견인되나 독일은 차량탑재형 레이다 보유.

2) 발사대

가) 발사방식은 지향식 발사형태이고, 기본형의 경우 1개 발사대당 4기의 미사일을 장착

나) 포대당 6~8개의 발사대를 보유

다) VHF 또는 광섬유 제원망을 통해 원격 운용됨

라) 발사대는 록히드마틴사에서 개발된 사각형 모양의 콘테이너에 적재되며, 미사일은 전장에서 테스트 및 유지보수가 필요 없도록 철저한 인증절차를 거쳐 적재됨.(적재 상태하 내구연한은 30년)

　　※ 독일은 차량에 탑재된 발사대 보유

3) 미사일

가) 미사일은 레이돔, 종말유도부, 탄두부, 추진체부, 날개조종장치부 등으로 구성

나) 미사일의 길이는 5.2m, 직경 40cm이며, 몸체 끝부분에는 삼각형 모양의 날개 4개가 있음.

다) 유토탄의 유도는 지령유도방식과 반능동식 씨커방식의 장점을 결합한 TVM(Track - Via - Missile) 방식을 사용함. 교전레이다가 측정한 표적정보와 미사일의 씨커에서 획득된 표적정보를 지상의 교전통제소에서 계산하여 미사일의 유도시스템에 중간수정지령을 하며, 유도탄은 지상의 지령과 유도탄 자신이 씨커를 통해 획득한 표적정보 중 상황에 따라 최선의 정보를 선택적으로 사용하여 표적을 요격함으로써 적의 전파방해, 복수표적, 저고도표적에 대한 교전 시 살상확률을 증대시킴.

라) 미사일의 사정거리는 70km 정도로, 최고도달 고도는 20km이상이다. 최소비행시간은 9초 이내이며, 최대비행시간은 3분 30초 이내임.

마) 운반 - 저장 - 발사 겸용탄통을 보유하고, 야전에서 정비가 필요치 않은 보증된 유도탄으로 30년 저장 기간 중 1회의 신뢰성 회복 조치만이 필요

4) 교전통제소

가) 레이더에 포착된 표적에 대하여 자동적으로 사격제원을 산출하고, 발사대의 미사일 사격을 자동통제

나) 1개 교전통제소에서는 16개 발사대(64기 미사일)까지 통제가 가능

다) 3개의 레이다 연결터미널, 발사시스템 상황판넬, 통제컴퓨터, VHF 데이터 링크 터미널 등으로구성

라) 발사대, 타포대 및 상급부대와 교신이 가능

마) 자동화 작전운용 통제를 위한 운용요원 3명

제 4 장 복합 대공화기

제 1 절 개 요

저고도 방공무기의 대표적인 대공포와 유도무기은 성능과 특성 및 기능면에서 상호 보완적인 관계이다. 즉 단거리에서는 대공포가 명중률이 우수하지만 원거리에서는 유도무기가 우수하다. 따라서 대공포와 유도무기를 별개 체계로 운용하는 것보다 각 체계의 장점을 극대화 하고, 단점을 최소화할 수 있도록 하나의 체계로 통합 운용 하는 것 이다. 이와 같이 복합(複合) 대공무기는 대공포와 유도무기가 복합된 무기를 말한다. 즉, 단거리 이상의 목표물은 유도무기로, 짧은 거리는 대공포로 복합 대응하는 무기이다.

고속입체 기동전이라는 현대전의 양상 속에서 대공화기는 미국의 LAV-AD에서 보듯 대공포(Gun)와 휴대용 대공유도무기(SAM)를 동시에 탑재하고, C4I 연동 및 통합정보 전시, 그리고 주행 중 사격 가능한 신속 대응성 향상 추세로 발전하고 있다.

이는 짧은 사거리를 갖는 대공포의 취약점을 휴대용 대공유도무기로 보강함은 물론 이 두 가지 대공무기를 단일 차체에 탑재해 기동성과 함께 운용의 융통성을 부여하기 위함인데, 적기가 나타나면 먼저 사거리 5km 내에서는 휴대용 유도무기로 교전한 후 이를 회피해 들어오는 적기에 대해서는 대공포로 사격하는 개념이다.

일반적으로 사거리 3km 이상에서는 유도무기가, 사거리 2km 이내에서는 대공포가 훨씬 높은 명중률을 갖고 있는 것으로 평가되고 있다. 따라서 우리 군에서도 도로와 평지에서 기동성을 살릴 수 있는 자주형 대공포의 확보와 함께 효율적인 방공 전력 건설을 위해 대공포와 휴대용 대공유도무기를 복합화하는 대공무기체계의 필요성이 제기되고 있다.

제 2 절 복합 대공화기

1. Tunguska-M1(2S6M1)

가. 개 요

　　이 시스템은 Igla(SA-18)와 Tor-M1(SA-15) 시스템의 중간 공백을 메우기 위해 개발되었다. 개발당시 ZSU-23으로는 현대 항공기를 잡을 수 없다고 판단, 더 큰 구경에 빠른 탄속을 가진 탄환을 필요로 하여 지상의 목표물도 동시에 공격이 가능한 무기 시스템을 개발에 착수하여 퉁구스카는 1988년에 제식화 되었다.

　　일반적으로 러시아의 방공무기 체계는 탑재차량이 아닌 탑재무기 시스템에 의해 구분된다. 2S6M 대공자주포는 퉁구스카-M1 시스템을 탑재한 차량의 한 종류일 뿐이다. 러시아 제식명 2K22M Tunguska-M1는 하나의 완성된 시스템을 가리키며 차량제식명은 2S6M이다. 사용하는 미사일은 9M311 Tunguska (SA-19)이며, 차량 자체는 러시아에서만 채용되었으나 미사일 시스템은 독일, 인도, 우크라이나, 페루 등에서 채용하였다.

그림 4-1. Tunguska-M1(2S6M1)

나. 특 징

Tunguska-M1 시스템은 대공포와 대공 미사일을 하나의 시스템에 결합시킨 형태로 이동, 정지중 언제라도 중거리(대공미사일), 단거리(대공포) 요격을 수행할 수 있다. 탑재된 대공미사일은 9M311-M1으로 나토명 SA-19 Grisson으로 불리우는 미사일이다. 8개의 地對空 미사일을 장착하고 있으며, 이 미사일은 line-of-sight 유도에 의한 반자동 레이더 지령 시스템을 가지고 있다. 사격통제장치는 추적레이더, 광학조준경, 디지탈 컴퓨팅 시스템이 결합되어 있다.

Tunguska-M1 시스템은 세계 최초로 두개의 방공무기체계를 하나로 결합시킨 시스템으로 매우 우수한 성능을 자랑하고 있다. 대공미사일과 기관포가 서로의 단점을 적절히 보완하고 있는 Tunguska-M1 시스템은 기존의 ZSU-23-4 Shilka와 Strela-1 및 Strela-10M3과 대체되었다.

그림 4-2. Tunguska 포탑

1) 무 장

8발의 대공유도탄을 장착하고 있으며, 1발의 유도탄 중량은 9kg의 탄두를 포함해 40kg이며, 길이는 2.5m, 직경은 1.7m, 날개 길이는 2.2m이다. 이 미사일의 최고속도는 초당 900m이며, 초당 500m의 속도로 비행하면서 목표물을 추적할 수 있다. 두개의 30mm 쌍열포를 가진 2A38M 대공 대공포 시스템은 차량의 상부에 탑재되어 있다. 이 대공포는 분당 5,000발의 최고 발사속도를 가지고 있다.

2) 센 서

Tunguska는 표적 탐지 레이더, 표적 포착/추적 레이더, 광학 조준경, 디지탈 컴퓨터 시스템, 경사각 측정 시스템, 항법 장비등을 갖추고 있다. 레이더 탐지거리는 18km이며, 추적 거리는 16km이다.

3) 차 체

Tunguska의 차체는 다중 연료 엔진(multi-fuel engine)으로 추진되는 34톤의 무한궤도 차량으로 모델 명칭은 GM-569이다. 이 차량은 유압식 변속기, 도로사정에 따라 자세를 변화시켜주는 유압식 서스펜션, 유압식 궤도 조임장치 등을 갖추고 있다. 장갑 포탑은 정지시나 기동시에 모두 작동이 가능하다. 냉방기, 히터, 공기정화기 등도 갖추고 있다.

다. 제 원

구 분		내 용	구 분		내 용
유효 사거리	미사일	2.4~10Km	무장	미사일	9M311 미사일 X 8발
	대공포	4Km		대공포	30mm 2A38M 기관포 X 2
탐지거리		18Km	추적거리		16Km
최대속도		65Km / h	항속거리		560Km
탄약 탑재량		1904발	발사속도		4,800발 /분
유도방식		가시선유도	승무원		4명

2. Pantsir-S1(Pantsyr-S1)

가. 개   요

   Pantsir-S1 (NATO 암호명 SA-22)은 러시아 Tula에 있는 KBP社가 개발한 복합 대공시스템이다. Tungushka는 이동중 기관포만 사격이 가능하였으나, Tungushka 복합 대공시스템을 업그레이드한 Pantsir S1은 이동중에도 대공포와 미사일을 사격할 수 있어 확대된 교전능력을 발휘할 수 있다.

   교전 반응시간은 4~6초로 Tungushka의 8초보다 빠르며 선행형인 Pantsir S1O의 5~7초보다 1초 정도 빨라졌으며, 또한 동시에 2개의 표적과 교전이 가능하다. 30 mm 2A38M 대공포는 Czech 공화국의 BRAMS 복합식 대공시스템용으로 선정되어 Tulamashzavod Joint Stock Company가 생산하지만 권리는 러시아의 KBP社가 보유하고 있다. Pantsir 복합 방공시스템은 궤도차량과 트럭에 탑재할 수 있다. 트럭형의 경우 기관포당 각각 포탄 700발과 12발의 57E6-E 미사일 (9M335 혹은 9M311)을 탑재한다.

그림 4-3. Pantsir-S1(차량형)

나. 특   징

1) 무   장

    30 mm 2A38M 2연장 자동 대공포는 2S6M Tunguska 에도 탑재된 것으로 2S6M은 30 mm 2A38M 2연장 대공포와 SA-19 대공미사일을 탑재하고 잇으며, 16강선을 가진 30 mm 2A38M 대공포는 30 mm 2A42과 2A72 대공포와 동일한 포탄을 사용한다.

    수냉식인 30 mm 2A38M 대공포는 -50 to +50° C 기후에서도 작동하며 유효방공 사거리는 200m에서 4,000 m, 최대고도는 3,000 m이다. 미사일의 경우 요격율이 0.7 - 0.95에 달하며 유효사거리는 1.2 km 에서 20km로 초도형 Pantsir S1O의 1.5 - 18 km보다 증가하였고 도달고도는 10 km이다. 더 긴 텐덤식 부스터를 장착시 도달 고도는 12Km 까지 가능하다.

2) 센   서

    레이더는 30km까지 탐지하고 20개의 표적을 동시에 추적하며 2개의 표적과 교전이 가능하다. Pantsir S1은 효과적인 ECM능력과 재밍에 대해 고도의 회피능력이 있는 멀티밴드 레이더를 사용하며 수동식 저주퍼 IR 표적획득 시스템및 신호추적과 자동표적 추적 능력이 있다.

3) 차   체

    Pantsir-S1 복합 대공시스템은 궤도차량과 차륜식의 BTR-80같은 장갑차나 8x8 Ural 5323 같은 트럭에 탑재할 수 있다. 또한 트럭뿐만 아니라 시스템을 간략하게 하여 BMD형 장갑차에도 탑재가 가능하며 사진처럼 BMP-4를 차대로 한 신형장비도 선보이고 있다. 트럭 탑재형은 UAE가 50대를 도입한 바 있다.

그림 4-4. Pantsir-S1(장갑차형)

다. 제 원

구 분		내 용	구 분		내 용
유효 사거리	미사일	1~20Km	무장	미사일	57E6-E 미사일 X 12발
	대공포	0.2~4Km		대공포	30mm 2A38M 기관포 X 2
탐지거리		30Km	추적거리		24Km
최대속도		65Km / h	항속거리		560Km
탄약 탑재량		1904발	발사속도		4,800발 /분
유도방식		무선유도	승무원		3명

3. Avenger

가. 개 요

보잉에 의해 개발된 어벤져 방공 시스템은 美 육군 전방방공(Forward Area Air Defense : FAAD) 전력중 중요한 요소를 구성하고 있는 것으로 C2I, 레이더, 플랫폼, 미사일로 이루어져 있다.

이것은 1980년대에 美 육군의 저렴하고, 경량이며, 이동중 사격이 가능한 스팅어 미사일을 채용한 방공시스템에 대한 필요에 의해 개발되어, 1987년 325대의 장비공급에 대한 최초의 양산 계약이 체결되었다. 진동방지 시스템이 설비된 어벤져의 포탑부는 HMMWV(High Mobility Multipurpose Wheeled Vehicle)에 마운팅 된다.

그러나 그이외의 다양한 군용차량에 장착되거나 단독으로 설치된 상황에서도 사용될 수 있다. 1992년, 美 육군은 어벤져 시스템을 추가로 679대 더 도입하기로 보잉社와 계약하여 1998년까지 생산되어 공급되었다. 이로써 美 육군에 공급된 어벤져의 총수는 1,004대에 달하게 되었다. 어벤져 시리즈는 전 세계의 미 육군, 미 해병대 등에 배치되어 있다. 1991년에는 사막의 폭풍 작전당시 NATO부대를 보호하기 위하여 배치되었으며, 1999년 3월의 유고슬라비아 침공이전, 보스니아에 평화유지군이 주둔하던 당시에도 배치된바 있으며, 주한 미군에도 배치되어 있다.

나. 특 징

1) 포 탑

진동방지 장치가 붙은 어벤져의 포탑은 경량 고강 복합재로 제작되며 어떤 경우에 일부의 시스템과 조종장치가 사용불가의 상황에 있게 되더라도 지속적인 운용에 견딜수 있도록 설계되었다.

포탑부는 손쉽게 손상된 차량으로부터 떼어내어져 다른 사용가능한 차량이나 트레일러에 장착되어 사용 할 수 있다.

전기적으로 구동되는 포탑의 구동장치는 브래들리 장갑차에 사용되는 것과 동일한 것으로 포탑은360 °회전 가능하다. 어벤져는 2명의 승무원(사수, 조종수)에 의해 운용된다.

2) 미사일

어벤져는 포탑 양옆에 1개씩 장착된 2개의 발사관내에 8발의 스팅어(Stinger) 단거리 방공미사일을 적재한다.

1개의 발사관에는 4개의 발사구가 있다. 발사관은 고각 작동범위 -10 °∼+70 °이다. 스팅어 미사일은 적외선 씨커와 3kg의 고폭발 파편 탄두를 장착하고 최소 시속 마하2.2로 비행하며 최대 5km의 유효 사거리를 가진 소형미사일로 휴대용 버젼이 먼저 개발되었다. 미사일은 4분이내에 8발 모두를 재 장건 할 수 있다. 이밖에 어벤져는 스타스트릭, 스타버스트, 미스트랄을 발사하도록 장치될 수도 있다.

3) 대공포

어벤져는 50 구경장의 M3P 자동 기관포가 장착되어 있어서 미사일 사각지대를 커버하고 지상목표물을 격파하는데 사용된다. M3P 대공포는 벨기에의 Fabrique Nationale Herstal에서 제작되는 것으로 오른쪽 미사일 발사관 아랫쪽에 포탄 탄창과 함께 장착된다. 어벤져에는 200발의 포탄이 탑재되어 있다. 이 포는 반동 작용, 링크-벨트식 송탄, 공냉식의 특성을 가진다.

그림 4-5. Avenger

4) 사격통제 시스템

사격통제 시스템은 대단히 높은 수준으로 자동화되어 있어 사수의 목표물 위치, 식별, 추적, 미사일 Lock-on(포착)을 지원한다.

사수 스테이션에는 헤드업 광학 조준기가 장착되어 있으며, 사수는 목표물에 대한 획득, 추적, 격파 임무의 수행내내 헤드업 광학조준기에 포함된 조준경을 사용한다. 스팅어 미사일의 씨커 활동/개방/사격승인 지시들은 조준경에 표신된다. 미사일 씨커는 사수가 추적하는 것과 같은 목표물에 Lock-on되도록 작동된다.

목표물은 광학 조준기를 사용하거나 혹은 FLIR(Forward Looking Infrared -전방 감시 적외선)을 사용하여 획득된다. FLIR센서는 왼쪽 발사관에 부착된다. FLIR은 3단계의 시야 모드(廣,狹,雨中)를 가지고 있다. 콘트롤 일렉트로닉스(Avenger Control Electronics : ACE) 유니트는 어벤져 메인 컴퓨터이다. ACE 소프트웨어는 시스템을 콘트롤하고 모니터하며 내장 테스트(built-in test:BIT)기능을 포함한다. CO_2 레이저 거리측정기는 눈을 보호하도록 개발된것으로 ACE에 의해서 처리되고 각종 데이터를 제공해 준다. 자동 비디오 추적기(automatic video tracker:AVT)는 목표물에 Lock-on되어 ACE에 추적 신호를 제공하여 목표물 격파가 완료되거나 AVT가 정지될 때 까지 포탑을 고각, 방위각상으로 작동하게 한다.

IFF(Identification Friend or Foe-피아식별)장비도 부착된다.

5) 원격조종 장비

원격조종장비(Remote Control Unit:RCU)는 FLIR 모니터 디스플에이를 포함하여 사수에게 유용한 똑같은 데이터를 표시해 주는 것으로 승무원이 사격장치로부터 50m 떨어진 곳에서 목표물 격파임무를 수행 할 수 있게 해준다.

6) 업그레이드

어벤져 업그레이드 키트(SLEW-TO-CUE)는 미 육군 FAAD 지휘 및 통제 시스템간에 존재하는 링크가 자동적으로 어벤져의 포탑을 선회시켜 사수의 시각안에 목표물을 위치시키도록 개발되었다. 이것은 어벤져의 저공비행 /저피탐성 목표물에 대한 탐색/획득/격파능력을 획기적으로 개선시킨 것이다.

이 업그레이드 키트에 대한 장착은 1999년부터 2003년까지 진행되었다. 이 업그레이드에는 새로운 사격관제 컴퓨터, 지상 네비게이션 시스템, 팜탑형 터미널 유니트, 업그레이드된 원격조종 유니트, 단순화된 차체/포탑 설계, SLIP RING등이 포함된다.

7) 수 송

어벤져는 C-130 수송기나 C-141 수송기에 의해 공중수송이 가능하다. 예를 들어 C-130 수송기에는 5대의 포탑부가 파레뜨에 실려 적재되거나 험비에 포탑이 탑재된 형태로 3대가 적재 가능하며, C-141에는 12대의 포탑부가 파레뜨에 실려 적재되거나 험비에 포탑이 탑재된 형태로 6대가 적재된다. 어벤져는 또는 UH-60이나 CH-47과 같은 헬리콥터에 의해 수송이 가능하며 파레트에 실린 어벤져 포탑부는 C-130 수송기로부터 공중 강하가 가능하다.

다. 제 원

구 분		내 용	구 분		내 용
유효 사거리	미사일	5Km	무장	미사일	Stinger 미사일 X 8발
	대공포	1Km		대공포	50 캘리버 M3P X 1
전체중량		3,900Kg	사격범위(AZ/EL)		360 °/ −10 °~+70 °
최대속도		100Km / h	항속거리		480Km
탄약 탑재량		200발	발사속도		950~1200발 /분
유도방식		적외선 유도	승무원		2명

4. LAV-AD

가. 개 요

LAV에 전동식 25 mm GAU-12 Equalizer gattling 대공포와 4연장 FIM-92 Stinger SAM 발사기 포드를 장착한 美 해병대의 방공용 장갑차 LAV-AD이다.

미국의 제너럴 다이나믹스 랜드 시스템에서는 1997년 美 해병대용의 경장갑 방공차량으로 LAV-AD를 공급하기 시작했다.

이 대공 장갑차에는 GE社가 기(旣) 개발한 Blazer 포탑이 장착되는데 FIM-92 Stinger와 GAU-12/U 25mm gattling 대공포를 장착하고 있으며 대공포와 미사일은 같은 축상에 위치하여 같이 구동합니다. GAU-12/U 25mm gattling 대공포는 분당 최대 1,800발을 발사할 수 있고, 최대 유효사거리는 2.5km이며, 4연장 포드 2개에 총 8발이 적재되는 스팅어 미사일은 유효 사거리 5.5km의 최신형 RMP (Reprogrammable Microprocessor) FIM-92D와 Block I FIM-92E를 사용하는데, 최고 음속의 3배의 속도로 표석에 비행할 수 있다. 또한 Forward-looking infrared 조준기와 레이저 거리측정기가 장착되어 조준과 사격에 사용된다. 탑승병력은 조종수, 지휘자외에 회전포탑에 1명의 조작인원이 탑승하며 美 해병대는 1999년 1월까지 17대의 LAV-AD를 도입하였으나, 현재는 현역에서 전부 퇴역하여 운용하고 있지 않다.

나. 제 원

구 분		내 용	구 분		내 용
유 효 사거리	미사일	5.5Km	무장	미사일	Stinger 미사일 X 8발
	대공포	2.5Km		대공포	25mm gattling X 1
전체중량		13,319 kg	사격범위(AZ/EL)		360 °/ -8 °~+60 °
탄약 탑재량		990발	발사속도		1,800발 /분
유도방식		적외선 유도	승무원		3명

그림 4-6. LAV-AD

5. BLAZER

가. 개 요

  美 해병대는 경 장갑차의 저고도 공중위협에 대응하는 대공무기체계의 필요성이 대두되어 1992년 旣 개발된 대공포 및 대공미사일 등을 활용한 복합 방공무기체계인 BLAZER를 선정하였다. BLAZER 방공무기체계는 美 해병대가 제기한 기갑/기계화 부대전력 및 기동부대 전력에 대한 대공방어와 항공기지 및 주요 부대의 CP, C4I 시설, 주요 군수시설 등에 대한 대공방어 등의 운용개념을 고려하여 미국의 GENERAL DYNAMICS社 및 프랑스의 THOMSON-CSF社가 공동으로 개발하여 1998년 이후 양산 체제를 갖추고 미 해병대에 인도하기 시작 하였다.

그림 4-7. BLAZER

나. 특 징

1) 시스템

  BLAZER체계의 주요 장비는 단거리 미사일(Mistral)과 25미리 Gatling Gun, 레이더 /IFF, FLIR(Forward Looking Infrared) /TV Sight, 그리고 자주화된 장갑차량으로 구성되어 있다.

BLAZER 방공무기체계는 장갑차량에 탑재된 레이더로 17km 밖에서 표적을 탐지하여 6km에서 MISTRAL 미사일로 요격하며 요격 실패시에는 25mm Gatling Gun으로 분당 1,800발의 사격속도로 표적을 격파할 수 있는 시스템을 갖추고 있으며, 40km/h이하의 속도에서는 이동간 사격도 가능하다.

2) 무 장

단거리 미사일은 프랑스의 미스트랄 4발을 탑재(예비 4발 적재)하고 있으며 Fire and Forget 방식의 고속기동성 보유하고 근접 충격신관을 사용하고 있다. 또한 단거리 대공미사일은 MISTRAL, STINGER, IGLA 중 선택하여 장착이 가능하다. 대공포는 5개의 총열을 보유한 25mm Gatling Gun을 탑재하여 2.5Km의 대공 유효사거리와 720발의 탄약을 탑재하고, 분당 1,800발의 발사속도의 성능을 보유하고 있다.

3) 센 서

레이더 및 IFF장비는 S 밴드의 펄스 도플러 레이더로 표적의 자동탐지 및 피.아식별이 가능하며 ECM 대응능력 및 최소 신호 발생 능력을 보유하고 있다. FLIR/TV(적외선, TV 탐지)는 주·야간 및 악천후 시 표적 획득 및 자동추적이 가능하고 시력보호 레이저 식별기를 보유하고 있다.

다. 제 원

구 분		내 용	구 분		내 용
유효 사거리	미사일	0.5~6Km	무장	미사일	Mistral X 4발
	대공포	2.5Km		대공포	25mm gattling X 1
탐지거리		17Km (헬기:10Km)	추적거리		7Km
탄약 탑재량		720발	발사속도		1,800발 /분
유도방식		무선유도	승무원		3명

6. Machbet

가. 개 요

M163 Hovet은 20mm Vulcan 대공포를 이스라엘에서 개조한 것으로 록히드社가 PIVADS(Product Improved Vulcan Air Defense System)라는 이름으로 개량한 시스템을 추가하였다.

디지털 마이크로 프로세서와 직접조준기, 낮은 오차의 방위각 조종시스템, 그리고 장갑관통 사보트 탄환 개량 등이 주요 개선사항으로 이시스템에 의해 사수의 작업량을 줄이고 시스템의 정확성을 향상시켰다. Machbet는 IAI(Israeli Aircraft Industries)社가 개발하여 1998년부터 배치되기 시작한 Hovet 대공포의 개량형이다.

Machbet는 진보한 MBT 방공시스템으로 이스라엘 공군에서 운용하는데 기존의 M113 /Vulcan /Stinger 시스템에 향상된 TV /FLIR 자동 표적추적 유닛을 장착하였다. 화기를 연동하여 운용하는 능력을 제공하는 이 유닛은 공중 탐지레이더와 결합되어 운용되며, 초기 단계에서 취득한 목표물과 교전이 가능하여 방공 교전능력을 향상시켰다.

구체적으로 Machbet 1대는 최소 500m에서 헬기는 6KM, 항공기는 8KM 까지 대처할 수 있으며, EL/M 2106 탐지레이더와 공유기능을 보유하여 적기에 대한 방공능력이 대폭 향상되었다. 또한 Stinger외에도 MISTRAL, SA-16, SA-18 등 각종 단거리 대공미사일의 사용이 가능하다.

나. 제 원

구 분		내 용	구 분		내 용
유 효 사거리	미사일	0.5~6Km	무장	미사일	Stinger 미사일 X 4발
	대공포	2Km		대공포	20mm Vulcan X 1
전체중량		12,000 kg	사격범위(AZ/EL)		360 °/ -5 °~+80 °
탄약 탑재량		1,800발	발사속도		3,000발 /분
유도방식		적외선 유도	승무원		3명

그림 4-8. Machbet

그림 4-9. Machbet 포탑

7. ZSU-23-4 BIALA

가. 개 요

　　ZSU-23-4 Biala는 복합형 자주 대공포 시스템으로 러시아제 ZSU-24
-4를 개량한 장비이다. ZSU-23 Silka 개량형인 ZSU-23-4 MP Biala(=
White란 의미)는 Glom 단거리 대공 미사일 발사기를 4연장으로 장착한
개량형 복합 자주 대공포로 ZSU-23-4 자주 대공포의 레이더를 제거하
고 장착한 "BIALA" 복합 자주 대공포 혹은 ZSU-23-4MP라고 한다. 폴란
드 Tarnow에 있는 OBR Sprzetu Mechanicznego reaseach center가 개발
한 것으로 이 회사는 HIBNERYT 트럭탑재 대공포 시스템, 위에서 설명
한 STALAGMIT /SOPEL(Anti-aircraft system)대공포 시스템, ZSMU-127
Kobuz 원격조정 사격장비 등도 생산하고 있다.

그림 4-10. ZSU-23-4 Biala

나. 제 원

구 분		내 용	구 분		내 용
유 효 사거리	미사일	0.5~6Km	무장	미사일	Glom 미사일 X 4발
	대공포	2.5Km		대공포	23mm AZP-23 X 4
전체중량		13.7 Ton	항속거리		450Km
탄약 탑재량		2,000발	발사속도		3,200~4,000발 /분
유도방식		적외선 유도	승무원		4명

제 5 장 레 이 더

제 1 절 개 요

1. 개　요

레이더는 전자파의 전파시계가 열려있는 공간에 전파를 발사하여 목표물로부터 반사/반응 되어 오는 신호를 감지하여 실시간으로 표적의 정보를 추출하는 장치로서, 전천후 성능 발휘가 가능한 특징을 가지고 있다. 레이더는 용도와 적용분야가 다양하여 비록 동일한 원리가 적용 된다 하더라도 주된 기술, 사용목적, 운용형태 등에 따라 적용기술상 차이가 있어 다양하게 분류된다. 주된 기술적 분류는 탐지, 추적, 다기능, 영상레이더 그리고 피아식별장비 등으로 분류되며, 설치장소/용도 위주로 분류되는 무기체계적 분류는 지상 및 차량탑재 대공작전/전장 감시용, 함정탑재 대공/대함작전 및 항해용 항공기 탑재 조기경보/전장감시 및 정찰용, 전술기탑재 사격통제용, 위성탑재 전장감시/정찰용 등으로 분류되기도 한다. 여기서는 기술적 분류에 따라 설명하겠다.

2. 레이더의 종류

가. 탐지 레이더

탐지 레이더는 전자파를 생성하고 높은 출력을 발생시키는 송신기와 송신 출력을 공간에 복사하는 안테나, 복사된 전자파에 의하여 반사된 신호를 수신하는 수신기, 수신신호로 부터 표적 제원을 추출하는 신호처리기 그리고 운용자에게 정보를 전달하고 운용자의 통제를 입력하는 운용자 콘솔로 구성되는 것이 일반적이나 능동 위상배열레이더의 경우, 송신기와 안테나 그리고 수신기의 초고주파 부분이 안테나와 한 몸체를 이루기도 한다.

나. 추적 레이더

일반적으로 추적레이더는 표적획득레이더와 연동되어 획득된 표적정보를 입력받아 이 표적에 대한 공간좌표 값을 계산하여 표적을 추적한다. 정밀한 추적을 위하여 안테나 빔은 연필형의 좁은 빔(Pensil-Beam) 형태를 사용하며, 각도와 거리 그리고 도플러 정보 등을 이용하여 이동표적을 추적하며, 연속적으로 저장된 표적자료로부터 그 표적의 다음 위치 예측도 가능하다.

추적레이더의 용도는 대공화기의 사격통제, 유도탄 발사통제 및 무인항공기 유도 등 군사용과 관측용 로켓 및 인공위성의 발사통제 / 기상관측 및 정밀측정 등 과학용으로도 사용되고 있다.

다. 다기능 레이더

대공무기체계의 경우 침투하는 적의 대공표적을 탐지 식별, 추적하여 사격제원을 산출하고 필요시 격추시킬 수 있어야 한다. 이와 같이 1대의 레이더가 다수 기능을 수행할 수 있도록 하는 것이 다기능 레이더이다.

라. 영상 레이더

영상레이더(Imaging Radar)는 이동하는 플랫홈에 설치되어 표적 (또는 고정설치시 이동물체) 전자파의 반사계수를 측정하여 영상을 형성하고 표적을 식별하는 레이더로서, 광학 또는 적외선(IR)과는 달리 기상조건이나 주야에 제한 받지 않고 운용할 수 있으며 실시간 자료 처리 능력을 보유하므로써 넓은 지역을 동시에 감시, 정찰할 수 있고 항공기 또는 위성에 탑재된다. 획득된 영상은 농작물 작황 및 도시 확장 조사, 광물 및 유전 탐사연구, 빙하 이동 및 해상 오염 감시, 해양연구 등 민수분야 뿐 아니라 적성지역의 정밀한 지형정찰, 조기경보 등 군사목적으로도 응용된다.

마. 피아식별 레이더

피아식별 레이더는 주 레이더(Primary Radar)가 탐지한 표적이 아군인 지 적군인지를 식별하는 장비로서 질문기(Interrogator)가 표적에 질문신 호를 송신하고 표적에 탑재된 응답기(Transponder)의 응답 코드신호를 수 신 확인하여 피아를 식별하는 수하(Cooperative Identification) 방식과 각 종 관측센서(전자파 레이더, 적외선 및 광학장비, 초음파 및 음향탐지기 등)를 이용하여 표적에 의한 반사 또는 방사되는 고유한 특성신호를 분석 하여 피아를 구분하는 비수하(Non-Cooperative Identification)방식이 있다.

3. 레이더 동작원리 및 구성

가. 기초원리

전파는 초당 30만 Km 진행하며 1 micro sec에 300m를 진행하므로 r = t×c / 2(r = 표적거리, c = 광속, t = 전파왕복 소요 시간)표적까지의 거리는 전파의 왕복시간을 2로 나누어 산출한다.

1) 확률 이론

레이더 전파는 눈비나 구름, 새, 산이나 건물 또는 호수나 바다에 서 반사되며 이러한 신호를 잡음신호라 하는데 레이더에서는 수신되 는 신호의 잡음을 걸러내는 것이 대단히 중요하며 확률 밀도함수를 적용한다.

어떤 수신기에서 특정시간에 잡음이 어떤 값을 가질 것인가 하는 것을 예측하는 것은 불가능하지만 특정 잡음이 특정 값이나 특정 범 위의 값을 가진다는 것은 예측할 수 있다.

2) 표적 탐지

레이더에서 표적의 탐지는 화면에 전시된 신호로부터 운용자가 표 적의 존재 유무를 육안으로 식별하는 방식과 자동탐지회로를 통해 자동으로 탐지하는 방식으로 나누어질 수 있다. 종래 PPI 스코프에 전시된 신호를 운용자가 주의 깊게 관찰함으로서 표적을 탐지하고 제원을 산출하였으나 대공레이더와 같이 탐지 및 제원 산출을 고속으로 처리해야 하는 시스템에서는 자동탐지회로를 통해 표적을 탐지하고 컴퓨터를 통해 표적제원을 자동으로 산출하여 전시한다. 자동으로 탐지하기위해서는 수신신호를 일정 탐지기준(Threshhold)과 비교하여 이 기준값을 초과한 것만을 표적으로 간주한다.

따라서 방해전파(Intrference)나 수신잡음의 경우에도 기준값을 초과하면 표적으로 선언될 수있으며 이를 허위표적(False Target)이라한다.

3) 수신 잡음

잡음은 수신기의 표적탐지 능력을 제한하는 전자기적 에너지를 말한다. 잡음은 안테나를 통해 수신되는 잡음 성분, 수신기 자체에서 발생되는 잡음, 수신전단부의 저항에서 발생되는 열잡음 등이 있다.

나. 레이더 성능 결정 요소

레이더는 가능한 원거리 목표를 탐지 할 수 있어야 하며 측정한 물체의 거리 및 방위각의 정밀도가 높아야한다.

1) 최소 탐지거리

접근하는 목표를 스코프 상에 지시 할 수 있는 최소거리이며 펄스 폭에 비례하고 안테나의 높이, 고각 수직 빔 폭의 영향을 받는다.

2) 최대 탐지거리

사용 파장을 짧게하고 , 개구 면적을 넓게하고 송신전력을 크게하면 수신 감도가 향상되고 통달거리가 연장된다. 최대탐지 거리를 결정하는데 기준이 되는 조건 중에는 탐지 확률과 오경보 확률이 있다.

3) 거리 분해 능력

일직선상에 있는 두 개 이상의 물체에 대해 한 점으로 보이는 한
계를 뜻하며 펄스 폭이 짧을수록 좋아진다.

4) 방위 분해 능력

수평빔의 폭에 의해 성능이 결정되며 빔폭이 좁을수록 좋아진다.

4. 레이더 장비 구성

일반적으로 레이더시스템 구성은 파형발생기, 송신기, 수신기, 안테나
동기제어기, 신호처리기, 데이터처리 및 시스템 제어기, 안테나 제어서보,
서보시스템으로 구성된다. 사격통제시스템에서는 레이더로부터 사격장치의
서보시스템을 직접 제어하거나 사통시스템에 표적제원을 전송한다.

가. 레이더 구성품 기능

1) 파형 발생기

동기신호에 맞추어 주기적으로 송신 파형을 발생시켜 송신기로 낸
다. 시스템 종류에 따라 하나 또는 여러 형태의 파형을 사용하는 경
우도있다.

2) 송신기

파형발생기에서 발생된 신호를 송시에 적합한 RF 주파수로 변조
시킨 후 필요한 송신 출력세기로 증폭시켜 송수신 전단부를 통해 안
테나로 보낸다. 출력방식에 따라 아래와 같이 구분된다.

가) 마그네트론 (magnetron)

나) 클라이스트론 (klystron)

다) 진행파관 증폭기 (traveling wave tube amplifier)

라) CFA 증폭기 (cross field amp)

마) SSPA (Slid state power amplifier)

3) 송수신 전단부

송신시 송신출력을 안테나로 향하도록 하여, 일부 수신단으로 누설되는 전력으로부터 수신단을 보호한다. 또한 수신시에는 안테나로 수신되는 고조파 신호를 증폭한다.

4) 안테나

송신단을부터 송신 출력을 특정 방향으로 지향토록 하여 대기로 전파하고, 반사파를 수신기로 보낸다. 동일한 RF 주파수에 대해서 안테나가 크면 클수록 안테나 이득이 커지고, 빔폭이 작아진다.

5) 수신기

안테나로부터 송수신 전단부를 통해 수신되는 신호의 고주파 성분을 제거하여 중간주파수 신호로부터 영상 신호를 검출한 후 신호처리기로 보내준다.

6) 신호 처리기

지상 및 해상 반사체로부터 반사되거나 비 또는 눈과 같은 대기상의 반사체로부터 반사되어 수신되는 클러터 신호를 제거하여 원하는 표적신호를 추출해준다. 자동표적검출시스템에서는 표적신호를 미리 설정된 표적 탐지 기준값과 비교하여 표적의 존재 유무를 자동으로 검출해 주며 잡음이나 클러터에 의한 오경보를 일정하게 유지시켜 준다.

7) 동기제어 및 시스템제어기

레이더의 전반적인 시스템이 송신주기에 맞추어 동기화 되도록 각 서브 시스템의 타이밍 제어 신호를 각 서브에 공급한다.

8) 데이터처리기

탐지표적제원으로부터 표적의 속도를 산출하며. 예측된 제원에 따라 표적추적에 필요한 연산을 수행하고 피아식별기나 타레이더로부터 신호 및 통제정보를 전용선이나 통신을 통해 수신하여 자체 산출제원과 연관시킨다. 또한 사통시스템에서는 안테나나 사격장치의 제어에 필요한 제원을 산출하고 제어명령을 서보시스템에 전달한다.

운용자로부터 키보드같은 인터페이스를 통해 시스템 제어에 필요한제원을 입력받아 시스템 전반을 제어한다.

9) 지시기

가) A-SCOPE

레이더 영상신호를 시간에 대한 신호세기의 좌표로 표시하며, 추적 레이더의 지시 장치에 주로 사용된다.

나) B-SCOPE

영상신호를 거리에 대한 방위를 직사각형 좌표로 표시하는 지시기로서 SAR 레이더나 다기능 레이더의 영상을 2차원으로 표시하는데 사용한다.

다) PPI 방식

레이더 영상을 거리대 방위각 좌표로 표시하는 지시방식으로서 대부분의 탐색 레이더에서 사용되는 방식이다.

제 2 절 저고도 탐지레이더

1. TPS-830K

가. 개 요

TPS-830K 레이더는 3Km 이하 저고도 대공 감시 및 항공기를 탐지하는 2차원 레이더로서 적 공중 공격시 조기에 탐지하여 방공부대에 전파함으로서 대응시간을 단축할 수 있게 하는 것이며 육군 보유 저고도 탐지레이더는 TPS-830K 와 레포터가있다.

TPS-830K는 피아식별기를 보유하며 방해전파 표시기능, 가변 주파수 사용에 의해 대전자전 능력이 향상 되었다. 한 펄스압축 기술적용으로 레포터장비에 비해 저출력(8Kw)으로 가동되며 운용이 간편하다. 저탐레이더세트는 표적탐지 및 식별후 유무선으로 표적 제원을 전송하고 대공무기는 유무선으로 표적제원 수신후 사격통제 제원통신기에서 표적제원 (거리,방위각, 속도, 피아, 사격통제)을 전시한다.

그림 5-1. 저고도 탐지레이더(AN/TPS-830K)

1) 특 성

가) 고속 저공 비행기 탐지

나) 화면 분석용이: 고해상도 칼라 모니터

다) 조종전시판 사용으로 운용 용이

라) 효율적인 작전 수행 가능

마) 대전자전 능력 보유

바) 송수신하지 않고 기능시험 가능 ➡ 모의 표적 발생기

사) FCR와 연동하여 효율적 무기 제어 가능

아) 전천후 사용(신호처리기 편파보상)

자) 자체점검으로 고장 판단 용이

2) 제 원

가) 안테나 회전 : 30RPM

나) 제원전시(동시추적) : 16개 표적

다) 추적제원 전파 : 12대

라) 탐지고도 : 3Km

마) 탐지거리 : 0.1~40Km

바) 탐지정확도

　　- 거리 : ±25m 이내　　- 방위각 : ±0.5° 이내

사) 질문기운용방식 : MODE #1, 2, 3/A, 4

아) 수하거리 : 40Km

자) 최대출력 : 8 Kw

차) 탐지범위 : 360°

카) 운용온도 : -35° C ~ +50° C

타) 운용전원 220VAC,60Hz 단상

파) 높이

　　- 안테나 세움 : 6.1m　　- 안테나 눕힘 : 3.95m

나. 운 용

1) 개 요

  평탄한 지형에 장비를 설치하고 안테나를 세운 다음 수평조절기를 설치하여 쉘터 수평을 조절한다. 발전기 또는 상전 전원을 쉘터로 연결한다. 방향틀을 쉘터 뒤 50m 이상 이격 설치하여 쉘터 냉난방기 아래 위치하는 반사경을 조준하여 방위각을 측정하여 레이더 전시기에 입력한다. 레이더를 가동하여 비행체가 탐지되면 피아식별을 실시하고 방공포 진지에 피아, 거리, 방위각, 속도를 전파한다.

2) 가동전 준비

  가) 전원케이블 연결 및 발전기 가동

  나) 쉘터 사다리 설치고정슬링 제거

  다) 수평조절기 1의 잠금 고리 제거

  라) 수평조절기 2설치 및 연결봉 결합

3) 전원공급

  가) 발전기 전원분배기 회로차단기 (10개)를 "켬" 위치

  나) 전원분배기 입력 전원스위치 "켬" 후 입력전원램프 점등확인

  다) 직류전압스위치와 직류전압 계기의 직류전압점검

  라) 입력전압. 주파수 계기의 전압 및 주파수 점검

4) 수평 조절

  가) 수평조절2 조절

  나) 수평조절1 조절 : 안테나 눕힘 안전고리 제거 확인

  다) 안테나 올림

  라) 쉘터위의 안전결쇠 잠금

  마) 안테나 고정 슬링으로 안테나 결합체를 견고하게 고정

  바) 무전기 안테나 세움

5) 레이더 정치

가) 레이더 설치지점에서 지도와 방향틀을 사용하여 정치

나) 레이더 위치좌표를 입력하고 레이더가 지시하는 북쪽과 실제 북쪽이 일치하도록 설치

다) 지도에서 레이더세트 좌표(UTM)읽은후 X,Y 좌표값을 입력 후 "ENTER"

다. 구조기능

장비는 쉘터와 발전기(견인 트레일러)로 구성되고 쉘터를 주임무장비라 하며 쉘터내에는 안테나, 송수신기, 전시기, 신호처리기, 피아식별기 전원분배기가 설치되어있고 안테나와 공기조절기(냉난방 장치)는 외부에 부착되어있다.

1) 안테나 유니트 구성품

파라볼라 안테나와 피아식별기 안테나로 구성되고 눈, 비로 인한 잡음을 감쇄시키기 위해 수평편파와 원형편파를 발생한다.

가) 반사기 안테나

송수신 유니트에서 발생된 고주파신호를 공중으로 방사하고 표적에서 반사된 신호를 수신

나) 피아식별기 안테나

질문신호를 방사하고 항공기의 1090MHZ 응답신호수신

다) 안테나 구동부결합체안테나를 회전시키고 회전결합기에 의해 고정체와 회전체사이의 신호를 연결

2) 쉘 터

쉘터내 레이더 전시기에는 터치 스크린 방식의 레이더 조종판이 있어
조작이 간편하다.

가) 송수신 전단부

한 개의 안테나로 송/수신할 수 있도록 송수신 경로를 분리시 키
고 표적에서 반사된 수신파를 증폭하여 수신부로 인가

나) 진행파관 증폭부(Traveling wave tube amplifier)

변조부에서 생성된 초고주파 신호를입력받아 첨두출력 8KW로 증
폭하여 송수신 전단부로 인가

다) 변조부 결합체

송수신 제어부에서 트리거 펄스, 발진부에서 고주파를 받아 장경
로(7μs) 단경로(0.2μs)의 송신펄스 폭을 갖는 무선파를 생성하여
진행 파관 증폭부에 인가

라) 발진부 결합체

주파수 합성기에서 1,2차 국부 발진신호, 동기 발진신호, 시스템
클럭 신호를 주파수 합성기에서 발생하여 변조부, 수신부, 송수신
제어부에 공급

마) 수신부 결합체

송수신 전단부에서 증폭된 수신파를 1,2차 국부발진 주파수와 혼
합하여 60MHZ 대역의 신호를 검출하여 검출된 신호로부터 고정
및 이동표적 영상 신호 생성

바) 송수신 제어부

송수신 유니트에 필요한 제어신호를 공급하고 검파신호를 비교하
여 결함을 판단하며 영상신호를 증폭하여 전시기 유니트에 인가

사) 전원공급부 결합체

송수신기 유니트에 필요한 직류 전원을 공급하기위해 4개의 전원
공급기로 구성, 직류전압은 송수신 제어부를 통해 공급

3) 전시기 유니트

가) 칼라 모니터

체계제어부에서 보낸 신호를 전시화면에 표시하여 레이더체계 운용에 관한 정보 및 표적정보전시

나) 레이더 조종판 결합체

12개의 스위치와 조종전시판에 의해 조종할 수 있도록 해주며, 각 조작신호는 체계제어부 결합체를 통해 해당 장비로 보냄

다) 체계 제어부 결합체

신호처리부에서 보낸 표적신호를 칼라 모니터에 전시할 수 있도록 처리하며 표적의 제원을 계산하고 표적정보 및 장비운용정보를 모니터에 전시

4) 피아식별기 유니트

가) 피아식별기 유니트 연동스위치

운용중 내부점검시 전원연결을 위한 것으로 당기면 "켬" 위치

나) 피아식별기 유니트 전면판

임시주전원 스위치, 램프점등스위치, 코드선택스위치, 경보램프, 경보 무시 스위치로 구성되고 코드선택스위치는 M4운용시 사용

다) 질문기

탐지표적에 대해 피아식별을 위해 질문펄스를 생성하여 피아식별 안테나에 공급, 응답신호 분석 및 피아 판단후 전시기 유니트에 제공

제 6 장 방공무기 발전 추세

제 1 절 대 공 포

1. 개   요

저공으로 침투하는 항공기 및 공격헬기는 기계화 및 지상부대가 중요한 표적이 되고 있다. 이와 같이 고속으로 기동하는 위협적인 표적에 대해서 기동성 있고 신속한 대응무기를 탑재한 전용 방공시스템이 아니면 대응하기가 매우 어렵다.

그러한 요구를 충족시키는 데는 체계의 반응속도와 발사속도가 빠른 대공포가 미사일보다 더 효과적이다. 여기에 비용 문제도 고려되지 않을 수 없다. 즉, 미사일은 비록 소형일지라도 高價이고 한번 발사하면 재사용할 수 없으며, 보통 10~15년 정도의 저장수명을 가지고 있는 반면에, 대공포는 低價로 언제라도 쉽게 사용할 수 있는 상태로 유지하기가 쉽다. 대공포는 아직까지 저고도 방공임무에 아주 효과적인 시스템으로 운용되고 있다. 항공기 표적의 경우 신속하고 빠른 기동 특성 때문에 표적을 명중시킬 수 있는 가능성을 높이기 위해서는 짧은 시간에 많은 탄약을 공중에 발사해야 한다. 또한 대부분의 저공비행 항공기와 공격헬기는 승무원 및 중요 구성품을 보호하기 위해서 상당한 수준의 장갑 방호능력을 갖추고 있기 때문에, 표적을 보다 확실하게 파괴하기 위해서는 다량의 철갑탄을 발사해야 한다. 대공포 시스템도 공중위협의 특성이 변화됨에 따라서 그 역할 또한 변화되고 있다.

장갑 전투차량에 대한 공중공격의 경우 시계가 좋은 장소에서 레이저를 조사하고, 8㎞ 정도 떨어진 거리에 위치한 헬리콥터가 불쑥 튀어나와 초음속 대전차 미사일을 발사하는 시대가 되었다.

이론적으로는 목표물이 되고 있는 전차가 고출력의 레이저를 이용하여 날아오는 미사일을 무력화 시키거나, 숨어있는 헬리콥터를 자동으로 탐지하는 포발사 미사일을 발사할 수 있겠지만, 현재 어떠한 종류의 전차도 이러한 위협에 효과적으로 대응할 수 있는 능동방어 능력을 보유하고 있지 않다. 대공포는 쉽게 대응할 수 있는 공중표적이 점차 감소하면서 그 효용성이 점차 약화되고 있지만, 대공포가 가지고 있는 몇 가지 기본적인 長點은 계속 유지될 수 있을 것으로 예상된다. 예를 들면 대공포는 어떠한 종류의 미사일과 비교해서도 가격이 저렴하기 때문에, 소형 정찰용 무인 항공기와 같은 중요도가 떨어지는 표적에 대응하는 데는 비용 대 효과 측면에서 유리하다. 미사일은 발사 후 유도가 시작되고 탄두의 안전장치가 해제되기까지 수 백 미터를 비행함에 따른 지연시간이 필요하지만, 대공포는 매우 짧은 거리에서 즉각적인 대응이 가능하고 매우 큰 살상력을 갖는 무기가 될 수 있다. 대부분의 미사일은 일부 전자 방해책에 취약하지만, 광학시스템에 의해 조준되는 포탄은 이러한 방해수단에 영향을 받지 않는다.

대공포는 최신의 계층화된 방어 시스템에서 최종 방어 라인을 구성하는 요소로 사용되는 경우가 많다. 싱가포르가 보유하고 있는 Oerlikon Contraves社의 35mm 대공포가 그 단적인 사례라고 할 수 있다. Skyguard 35mm 쌍열 대공포와 Skyshield 35mm AHEAD 리볼러 대공포 시스템과 같은 Oerlikon Contraves社의 방공 시스템은 40여 개 이상의 국가에서 사용되고 있다. 35mm 쌍열 대공포와 미사일 발사대로 구성되어 있는 Skyguard 발사 유닛은 계층화된 방공 시스템의 개념을 실제화 시킨 시스템이라고 할 수 있는데, 35mm 쌍열 대공포는 내부 방어층을 구성하고 2개의 미사일 발사대 (Sparrow, Aspide 또는 Adats)는 외부 방어층을 구성하게 된다.

2. 발전 추세

고정익 및 회전익 항공기와 순항 미사일 등의 공중 공격으로부터 지상의 중요 방어 목표물을 방호하기 위해서 통합형의 다층 대공방어 시스템을 구축하는 추세에 있다. 방어 목표물로부터 반경 20km 내로 침투하는 공중위협에 대응하기 위해서는 사거리 10km 내외의 단거리 미사일과 사거리 4km 내외의 초 단거리 미사일 그리고 최종 방어를 위한 대공포 등의 요격 시스템이 필요하다. 대공방어 시스템의 특성이 계속 변화하고 있으며, 고정익 항공기 및 헬리콥터 등의 유인 항공기들은 최근 초음속 또는 낮은 식별성으로 요격하기 어려운 저고도 장거리 미사일로 무장을 강화하고 있는 추세이다. 따라서 이와 같은 위협에 효과적으로 대응하기 위해서는 고성능 레이더에 의한 표적의 조기 탐지 및 개선된 통합 네트워킹, 그리고 敵의 재밍에서도 소형, 고속, 고기동 및 저 탐지성의 표적을 요격할 수 있는 다양한 방어무기 시스템을 갖추어야 한다.

항공기 및 공격헬기와 같은 예기치 못한 표적에 대처하기 위해서는 동력 구동형의 포탑을 장착한 정교하며 규모가 큰 시스템, 그리고 이 시스템을 탑재하고 기동성 있게 이동할 수 있는 대형 차량이 요구되어 왔으며, 또한 기계화 부대의 운용에 적합하도록 제작되어야 한다. 근래에는 포탑 주위에 대공포와 미사일 발사대를 동시에 장착하는 것을 기본으로 하는 소형 경량의 다루기 쉬운 방공 시스템이 개발되고 있는 추세이다.

근래의 포탑 시스템에는 사격통제와 포탑의 구동 및 제어를 위한 고성능의 컴퓨터를 탑재하여, 교전시 지정된 표적을 향하게 하고, 그 표적을 추적하며 최적의 순간에 대공포를 발사할 수 있게 해준다.

가. 30㎜ 대공포

거의 모든 30㎜ 대공포는 대체로 시제품 이상의 단계로 발전하지 못하고 있는데 그 예로서 러시아의 Tunguska와 한국의 비호 시스템을 들 수 있다. 비호 시스템은 2문의 Oerlikon Contraves KCB 30㎜ 포를 장착하고 있으며 이 포는 분당 600발을 발사할 수 있다. 전기 구동 포탑은 두산 중공업이 제작한 고기동 차대에 탑재되어 있고, Sfim社의 조준경 시스템과 열상 및 영상 장비를 포함한 Raytheon社의 전자 광학 시스템이 장착되어 있다.

이 시스템은 이중모드 추적 능력을 가지고 있으며 지상 clutter가 존재하더라도 저고도로 비행하는 표적을 추적할 수 있다. 지붕에 설치된 광학 조준경 시스템에는 유호사거리 5㎞의 레이저 거리측정기가 탑재되어 있다. 또 다른 30㎜ 포를 기반으로 한 시스템에는 프랑스 Thales-Giat

社의 AMX-30 DCA가 있다. 이 시스템은 2문의 30mm HS 831A 대공포(지금은 Oerlikon Contraves KCB로 알려짐)가 개량형 AMX-30 전차 포탑에 장착되어 있다. 1970년대에 개량된 AMX-30 SA는 사우디아라비아에 53대가 판매된 바 있으나 제대로 운용되지 않고 있는 것으로 알려지고 있다.

또 다른 하나는 독일 Krauss-Maffei Wegmann社의 30mm Wildcat 방공시스템이 있다. 이 시스템은 1970년대 말 최초로 생산된 이래 현재까지 아무 판매 실적도 없으면서도 판매 활동은 계속되고 있다. 전천후 작전용 Wildcat는 포와 미사일을 동시에 탑재한 복합 대공시스템을 옵션으로 제시하고 있으며, 미사일 종류는 사용자에 따라 미국의 Stinger 로부터 러시아의 Igla까지 다양하게 선택할 수 있다.

Wildcat 시스템의 대공포는 2문의 Mauser MK 30으로 구성된다. 탑재 차체는 Leopard 1 전차로부터 러시아의 BMP-3 또는 미국의 M113 APC 와 같은 경량의 차체를 모두 이용할 수 있다. 표적 탐색 및 추적 센서로써 감시 레이더, FLIR(Forward-Looking InfraRed),광학 조준경 및 레이저 거리측정기를 갖추고 있다. 이러한 포괄적인 센서장비를 갖추게 된 중요한 이유 중의 하나는 걸프전과 같은 전투경험을 통해서, 표적획득 및 추적에 레이더를 의존하는 방공시스템은 재밍을 받거나 성능이 저하되는 반면, 광학장치 또는 FLIR 시스템은 작전 중에 이러한 영향을 받지 않는다는 교훈을 얻었기 때문이다.

나. 35mm 대공포

현재 가장 광범위하게 배치되어 운용되고 있는 서방의 대공포 시스템들은 대부분 Oerlikon Contraves社의 35mm KDA 포를 기본으로 탑재하고 있다. 이들 중에서 독일과 스위스(Krauss-Maffei Wegmann/Oerlikon Contraves)의 Gepard 시스템이 가장 잘 알려져 있으며, 이 시스템은 1970년대 초부터 배치되기 시작하여 지금도 여전히 매우 효과적인 대공포 시스템으로 인정받고 있다. Gepard 시스템의 성능개량 패키지에는 Oerlikon Contraves 社의 FAPDS(Frangible Armour-Piercing Discarding Sabot) 탄이 포함되어 있다. 이것은 폭약이 충전되지 않은 텅스텐 코어로 구성되어 있으며 표적 항공기의 기체를 뚫고 들어간 후에 소형 파편으로 분리되면서 최대의 손상을 주게 된다. 독일 육군은 원래 420대의 Gepard 시스템을 도입했으나 이중 147대를 성능개량 할 예정이며 여기에는 차량 전체를 분해 수리하는 내용도 포함된다. 네덜란드는 90대를 보유하고 있으나 그 중 60대를 현재 성능개량하고 있다. 벨기에는 아날로그 사격통제 방식의 55대를 처분하려고 노력하고 있으나 이미 독일이 1999년부터 43대의 잉여 Gepard 시스템을 루마니아에 제공하고 있기 때문에 쉽지는 않을 것으로 예상된다.

그림 6-1. Gepard 자주 대공포

쌍열 35mm KDA 포도 다른 포탑형 방공 시스템에서 사용되고 있다. 그 중 하나는 BAE Systems社의 Marksman이며 핀란드가 10대를 도입하여 T-55전차에 탑재한 바 있다. 가장 성능이 보강된 Marksman은 완전히 안정화된 조준경과 야간작전을 위한 자동 표적추적 장치 및 열상장비를 탑재하고 있다. Marksman이 남아공의 G6 차륜형 155mm 포 플랫폼에 설치하는 것이 제안된 바 있었으나 더 이상 진전되지 못하고 있다. 쌍열 KDA 대공포는 일본의 Type 87 차량에도 탑재되어 감시 및 추적레이더와 함께 41대가 제작된 것으로 알려지고 있다. Type 87 포탑의 전체적인 외형은 Gepard와 크게 다르지 않으며 현재까지 수출된 바는 없다. 아직까지 하드웨어 외형은 확정되지 않았지만 Oerlikon Contraves 社의 35/1000 리볼버 대공포는 Mowag 8×8 또는 유사한 차대에 탑재할수 있는 방공시스템의 주 무기로 제안 받고 있다. 최신형 가스 방식인이 대공포 시스템은 분당 1,000발까지 발사할 수 있다.

모든 KDA 대공포는 포구 및 사격통제 시스템에서 몇 가지 변경이 이루어질 필요가 있는데 그 중에서도 성능이 매우 우수한 Oerlikon Contraves社의 AHEAD 탄을 사용하고 있다. 만인 AHEAD 시스템이 채택될 경우 표적을 추적하면서 표적까지 도달하는데 소요되는 시간을 계산할 수 있으며, 이 계산된 시간을 탄이 포구를 통과할 때 시한 신관에 입력시켜, 미리 정해진 시간의 지점에 이르면 AHEAD 탄은 폭발하면서 228개의 원통형 텅스텐 합금 자탄을 방출하게 된다. 이 때 방출된 자탄 무리를 통과하는 항공기 표적은 심각한 손상을 입지 않을 수 없게 된다.

다. 탄 약

대공포는 개량된 탄약 및 사격 통제시스템의 도입을 통해 시스템의 성능을 증대시킬 수 있다. 최근 탄약 개발의 발전으로 인하여 12.7mm 탄약으로도 헬리콥터나 순항 미사일과 같은 표적에 매우 효과적으로 대응할 수 있게 되었다. 주목할 만한 관통/소이탄으로는 Eurometaal社의 Api 2000과의 다목적 탄약의 일종인 섬광 기폭형의 Raufoss社의 NM 140 등이 있다. NM 140은 미국 병기창에서 MK 211MOD 0이라는 제식명으로 사용되고 있다. NM 140은 550m 거리에서 평균 15cm 정도의 분산 패턴을 나타내며 1,000m 사거리에서 45도의 경사로 11mm의 장갑을 관통할 수 있다. 이 밖에 주목할 만한 것으로 Olion社의 12.7㎜ SLAP(Saboted Light Armor Penetrator)이 있는데, 이것은 1,500m의 사거리에서 19㎜의 장갑을 관통할 수 있는 7.7㎜의 텅스텐 탄환을 발사한다.

1) AHEAD 탄

주목할 만한 예로서 Oerlikon Contraves社의 AHEAD(Advanced Hit Efficiency And Destruction)탄은 표적의 바로 앞에서 폭발하도록 미리 계산된 시간을 입력시킨 포탄이다. 즉, 보다 정확도를 높이기 위해서 포구를 이탈하는 각 탄의 속도를 측정하고 측정된 속도에 따라 폭발 시점을 시한신관에 입력시킨다. 따라서 AHEAD탄은 근접신관 탄에 비해서 재밍으로 부터의 영향을 받지 않고 높은 살상력을 갖게 된다.

이와 같은 신형 포탄에 맞추어서 Oerlikon Contraves社는 35/1000 리볼러 대공포를 개발하였다. 이 砲는 자사의 쌍열 GDF 포 계열과 다양한 탱크에서 광범위하게 사용되고 있는 KDA 시리즈 포의 35㎜ 구경을 그대로 유지하면서 발사속도는 분당 1,000발에 이른다. 이 砲를 사용하는 방공시 스템으로는 Skyshield 35 시스템이 있으며 이 시스템은 X-밴드의 탐색 및 추적 레이더와 쌍열 砲 4조로 구성된다. 이 시스템의 레이더는 20개의 표적을 동시에 추적할 수 있으며, 약 6km의 거리에서 겨우 0.02㎡의 레이더 반사면적을 갖는 스텔스성 미사일도 추적할 수 있다. Skyshield 35 시스템은 헬리콥터의 경우 약 4km, 공대지 미사일의 경우 약 3km 그리고 정밀 유도 폭탄의 경우 약 2km 거리에서 대응할 수 있는 성능을 갖고 있다. 이 시스템이 수출된 국가 중에는 중국도 포함되어 있는데, 중국은 35㎜ 포와 자체 개발한 PL-9 지대공 미사일을 결합한 형태의 방공 시스템을 생산하고 있으며 Type 902로 명명하고 있다.

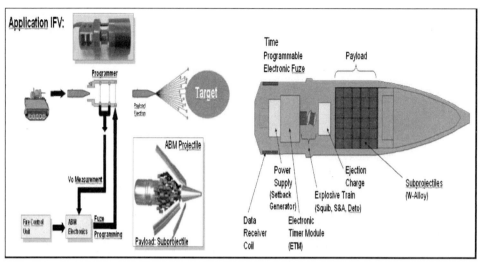

그림 6-2. AHEAD 탄

2) 파열탄

　　열화 우라늄 탄심의 사용에 대한 반대가 계속되고 있지만, 충돌 시 산산이 부서지는 고속 텅스텐 관통자는 항공기 표적에 대해서는 매우 효과적이다. FAPDS(Frangible Armour-Piercing Discarding Sabot) 탄약으로는 Oerlikon Contraves社의 PMB 098이 있는데, 캐나다 軍은 이 탄을 Boeing 社의 25㎜ M242 Bushmaster 砲에서 발사하는 대 헬리콥터용 탄약으로 가장 효과가 좋다는 평가를 한 바 있다. 이 탄약은 이탈피 기법에 의해서 증가된 속도로 인하여 3.5초 만에 4,000m에 도달할 수 있는데, 이것은 동사의 표준 35㎜ 탄이 같은 거리를 6초 만에 도달하는 것에 비해서 훨씬 빠르다. 이렇게 비행시간을 단축시킴으로써 명중률을 크게 향상시킬 수 있다.

　　NWM de Kruithoorn社는 25~35㎜ 사이의 FAPDS 탄약의 포구속도가 초속 1,150~1,400m에 이른다는 것을 시연해 보인 바 있다. 이 탄약은 5,000m 거리의 항공기 표적에 대해서 효과적이라고 하며, 고폭 소이탄 보다 30~50% 정도 적은 탄약만으로 동일한 효과를 얻을 수 있다고 주장하고 있다. 1990년대 무기 시장의 가장 중요한 변화 추세는 바

르샤바 조약 국가들이 보유하고 있는 구형 장비에 대한 성능개량 기술을 서방측에서 개발했다는 점이다. 탄약 분야의 경우 Oerlikon Contraves 社는 ZSU-23-4 Shilka 시스템용으로 Pyrotec PMA276 FAPDS-T 탄약을 개발하였는데, 이것은 포구속도가 거의 초속 1,200m에 달하여 2,000m 거리에 도달하는 시간은 단 2.1초에 지나지 않는다.

3) 산　탄

탄두 개발 역시 다른 측면에서 발전되어 왔다. 예를 들면 앞에서 언급한 35mm AHEAD 탄은 표적의 10~30m 앞에서 무게가 3.3g인 152개의 원통형 텅스텐 합금 산탄을 전방으로 투사한다. 30mm PMC308 AHEAD 탄은 1.5g 무게의 135개의 산탄을 투사하는데, 형태는 원통형으로 동일하지만 항력을 감소시키기 위해 가장자리에 홈을 파놓았다.

PMC308 탄은 보잉社의 Bushmaster II 또는 Mauser社의 Mk 30 Model F를 탑재한 Hägglunds/Bofors社의 수출형 CV9030 IFV에 사용되고 있다. 이것에 비해 Otobreda社의 40mm PFHE(Proximity-Fuzed High Explosive) 탄은 1,000개의 이상의 탄피 파편과 함께 무게 0.22g, 직경 3mm의 산탄 650개를 투사한다. 모든 표적에 대해 사용이 가능하고 6개의 프로그램 모드를 가지고 있는 Bofors社의 40mm 3P 탄은 직경 3mm의 텅스텐 볼을 투사하는데, 이것은 원래 동사의 Trinity 함포 시스템용으로 개발되었으나 지상용 Tridon 시스템에도 동일하게 사용할 수 있다. Tridon은 Volvo社의 6륜 A25C 차대에 첨단 C3I 및 사격통제 시스템과 함께 잘 알려진 L/70 포를 탑재한 시스템이다. Trinity 및 Tridon 시스템 성능은 표적 주변에서 최적의 폭발 패턴을 형성하도록 10개의 탄을 개별적으로 표적을 향해 발사함으로써 크게 향상되고 있다. Bofors社는 이 탄의 유효사거리가 6,000m에 이른다고 주장하고 있다.

4) CTA 탄

　탄약의 기타 중요한 기술 개발에는 CTA(Cased Telescoped Ammunition) 또는 'Beer Can' 탄이라는 것이 있는데, 이것은 신형 40㎜포 시스템 개발을 위해 Alliant Techsystems 社와 협력하고 있는 CTA International 社가 개발한 것이다. 이 탄약은 탄두가 큰 원통형 케이스 내부에 들어가 있는 형태이며, 길이가 짧고 부피가 작으며 가볍고 값이 싸다는 장점과 함께 안전성이 개선되고 포구 속도가 증가하는 장점을 갖고 있다. 그러나 CTA International 社의 탄약은 초기 설계에서부터 이 탄약 전용으로 개발된 포에서만 사용될 수 있다.

　원칙적으로는 구경이 클수록(실제는 57㎜ 이상의 구경) 사거리가 길어지지만, 無유도 탄두의 경우 사거리가 길어질수록 비행시간이 길어지고 그에 따른 표적의 이동에 의해 명중률이 낮아지게 된다. 이렇게 저하되는 명중률은 탄두의 중량을 증가시킴으로써 상쇄시킬 수는 없지만, 구경이 클수록 유도장치를 내장하기가 용이해진다. BAE Systems, Bofors Defense, CTA International, Diehl, Otobreda 및 Thales Munitronics 社 등 여러 회사들이 이 분야에서 활동하고 있다. 미 공군은 탄두에 탐색기를 장착하는 BLAM(Barrel-Launched Adaptive Munition) 개념에 대한 연구 예산을 지원해오고 있다.

제 2 절 대공 유도무기

1. 개   요

　급속히 확산되고 있는 무인항공기 및 순항 미사일, 그리고 스텔스 기술 발달과 함께 고성능화 되고 있는 전폭기 및 공격헬기 등, 저고도로 침투하는 공중위협에 신속하게 대응하기 위해서는, 조작이 간편하고 신속한 기동력과 작전 반응시간이 짧고 명중률이 우수한 단거리 미사일 방공시스템이 필요하다. 이와 같은 인식이 널리 확산되어 있기 때문에 많은 국가에서 국방예산의 압박 속에서도 단거리 미사일 방공시스템의 개발 및 배치를 적극 추진하고 있는 추세에 있다.

　단거리 미사일 방공시스템 중에서도 휴대용 방공시스템(MANPADS : Man-Portable Air Defense System)으로는 영국의 Javelin과 Starburst, 러시아의 Strela 및 Igla 계열 그리고 미국의 Stinger 등이 있다. 이들 시스템 중 대부분은 견착 발사방식으로 1인에 의해서 운용되고 있으나, 프랑스의 Mistral과 같이 삼각대를 사용해서 발사하며, 몇 부분으로 분해하여 2~3명이 운반할 수 있는 방공시스템도 있다. 이와 같은 시스템을 DETPADS (Detachment-Portable Air Defense System)라고도 한다.

　사거리 3~5km의 MANPADS를 차량에 탑재하여 高기동성의 근접 방공능력을 제공하는 시스템을 VSHORADS(Very Short Range Air Defense System)라고 분류하고 있다. 중급 또는 상급의 방공시스템에 비해서는 능력은 떨어지지만, VSHORADS와 SHORADS는 배치된 지상군 및 중요시설을 자체 방어할 수 있는 유용한 수단으로 사용되고 있으며, 전체 지상 방공시스템의 일부로서 중요한 역할을 담당하고 있다. 상급 및 중급의 방공시스템을 보유하고 있을 경우, 敵 항공기는 전장항공을 자유스럽게 비행할 수 없게 되고, 따라서 탐지 및 포착을 피하기 위하여 낮은 고도로 비행을 할 수 밖에 없기 때문에 SHORADS 및 VSHORADS는 공중위협에 대한 유용한 대응수단이 될 수 있다.

2. 발전 추세

가. MANPADS

MANPADS의 발전 추세는 다양하다. MANPADS 사수들에게 노출되는 위험, 즉 그들이 표적을 추적하고 교전하는 동안과 미사일을 발사하는 동안에 노출되는 위험이 더욱 감소되도록 개발되어야 한다. 피아식별 능력의 향상 특히 안정성의 향상은 MANPADS가 시계 밖의 장거리에서 공중표적을 효과적으로 포착할 수 있도록 하기 위해 필요하다.

전술 및 전략 기동성 또한 중요한 문제이다. 갈수록 증대되고 있는 단순 低價의 공중위협과 또한 첨단화된 대응수단을 구비한 공중위협에 대처하기 위해서는 보다 작고 가벼우며 고성능의 방공 무기체계가 개발되어야 할 필요가 있다. 공중위협의 시기적절한 탐지와 정확한 식별은 MANPADS를 포함하는 방공 시스템을 효율적으로 사용하는데 필수적이다. 중요한 것은 필요시 적합한 무기체계를 신속하게 사용하는 것이다.

방공 시스템 개발에 대한 투자를 극대화하기 위해서는 모듈러 방식을 채택해야 한다. MANPADS, DETPADS 또는 차량 탑재형 VSHORADS의 미사일과 사격통제 시스템을 서로 공통으로 사용할 수 있다면, 물질적으로 절약이 될 뿐 아니라 사수들이 다른 시스템으로 이동하더라도 별도의 훈련을 받을 필요성이 없게 된다. 센서의 소형화 및 미사일의 성능 강화 그리고 컴퓨터화를 통한 비용절감은 휴대용 방공시스템 분야의 개발자 및 생산자들에게 더욱 중요한 목표가 되고 있다.

공중위협이 갈수록 다양화 및 복잡해져가고 있고, 이에 대응하기 위한 전략적, 전술적 기동력이 요구되는 현 시점에서, 통합 지상 방공시스템의 일부로 MANPADS의 필요성이 확실시되고 있다. 단기 및 장기적인 안목에서의 기술 개발은, MANPADS가 계속해서 현재의 공격헬기를 효과적으로 요격하는 수단이 됨은 물론, 증대되고 있는 무인기 및 순항미사일의 위협에 대처하는데 있어 필수적 요건이다.

보다 첨단의 지휘통제 시스템을 도입함으로써 보다 효율적인 방공시스템을 운용할 수 있다. 여기에 피아식별 장치를 추가하고 표준화한다면 아군기에 대한 요격 가능성을 줄이고, 불필요하게 여러 방공무기체계가 동일한 표적과 교전하는 일도 방지할 수 있는 것이다. 또한 상급 지휘부에 전체 방공현황에 대한 자세한 정보를 제공함으로써, 효율적인 부대 배치가 이루어질 수도 있다.

사실 현재 미사일은 매우 정확하고 기만하기 어려워 점점 많은 국가들이 지휘통제 시스템과 데이타 융합에 관심을 기울이고 있다. 또한 레이더가 탐색 모드로 작동 중일 때는 자신의 존재를 표시하는 결과가 되기 때문에, 일부 국가들은 수동형(passive) 방공시스템 개발에 더 주력하고 있다. 이것은 체코의 Tamora 시스템 또는 미국의 Silent Sentry 시스템처럼 이동형으로 생산되는 것도 있다.

미군은 미사일 경보 시스템과 결합되는 신형 적외선 재머를 개발 중인데, 이것은 모든 종류의 적외선 유도 지대공 미사일과 공대공 미사일에 대응할 수 있도록 설계되었다. 미 육군은 CMWS(Common Missile Warning System)가 포함된 ATIRCM(Advanced Threat Infrared Countermeasures) 시스템 생산을 곧 착수할 계획이다.

공군, 해군 및 해병대 전투기에는 시스템의 일부분인 미사일 경보장치만 장착할 예정인데 이것으로 flare 방출이 가능하다. 해군은 ATIRCM/CMWS의 후속으로 BAE사가 개발 중인 TADIRCM(Tactical Aircraft Directional IR Countermeasures) 시스템에 대한 자금 지원을 하고 있다. TADIRCM 에는 전투기에 장착할 수 있을 만큼 작은 laser micro-jam head가 포함된다.

공군은 보유하고 있는 수송기를 위해 LAIRCM(Laser-based Large Aircraft IR Countermeasures) 프로그램을 시작하였으며, 차세대 시스템인 레이저 기반의 CLIRCM(Closed-Loop IRCM) 시스템은 미 공군 기술진에 의해 개발 중에 있다.

1) Stinger

　미국이 사용하고 있는 유일한 MANPADS는 20년 전에 배치된 Stinger 이다. 그 이후 Raytheon 社는 국내 및 수출용의 Redeye 및 Stinger를 100,000기 이상을 생산해왔다. 지금까지 40개국 정도가 Stinger를 운용하고 있으며, 변화하는 공중 위협에 대응하기 위해 계속 성능이 개량되고 있다. Igla 미사일에 비해서 Raytheon社의 FM-92 Stinger 미사일에 대한 공개된 정보는 미미하다. Stinger 미사일은 1982년(그 당시는 General Dynamic社)에 실전 배치되어 Redeye 미사일에는 없었던 전방향(前方向) 교전 능력을 제공해 주었다. CIA가 3천만 달러 상당의 1,000기 이상의 Stinger 미사일을 1986년 6월에서 1988년 4월 사이에 아프가니스탄의 소련 반군을 지원하기 위해 제공하였으며, 추후에는 전투에 사용되고 남은 700기 이상의 잔여 Stinger 미사일을 다시 사들이기 위해서 제공했던 가격의 두 배의 예산을 승인 받은 것으로 여러 보고서를 통해서 알려지고 있다.

그림 6-3. Stinger 휴대용 미사일

　자외선 채널 및 디지털 전자장치가 추가된 Stinger-POST (Passive Optical Seeker Technology) 성능개량 시스템에 이어서, 비행시간을 난축시키는 신형 추진 모터가 장착된 Stinger-RMP(Reprogrammable Microprocesser)가 1989년에 공개되었다.

Stinger-RMP 미사일은 1991년 사막의 폭풍작전에 실전 배치되었다. 걸프전 종전 후 미 육군은 2단계의 개량 프로그램을 추진한 바 있다. Block Ⅰ에서는 링 레이저 자이로, 강화된 내장 프로세서 및 리튬이온 배터리 등을 채용함으로써 하드웨어 및 소프트웨어에 대한 성능개량이 이뤄졌다. 따라서 정확도가 증가되었고 적외선 대응책에 대한 취약성이 감소되었다. Stinger-RMP Block Ⅱ에서는 첨단 영상 초점면 배열 탐색기를 포함하는 추가 개량이 이뤄졌지만, 다른 프로그램에 대한 예산 지원으로 인해 1999년 중단되었다. Raytheon社는 41,000기 이상의 Stinger-RMP 미사일을 공급했으며, Stinger 미사일은 미 육군과 해병대 및 18개 국가에서 보유하고 있다. 또한 Raytheon社는 Stinger 미사일의 야간운용을 위한 PAS-18 야간 조준기도 생산하고 있다.

MANPADS와 차량탑재 시스템으로 유명한 Raytheon社의 Stinger는 기동부대에 매우 우수한 방공 능력을 제공해 온 시스템으로 인정받고 있다. 이 시스템 고유의 fire-and-forget 기술은 극심한 방해책 환경에서도 높은 생존성과 최대의 파괴력을 보장해 주고 있다. Stinger-RMP 버전은 경량의 독립형 방공시스템으로써 Avenger, Linebacker 및 기타 군용 플랫폼에 탑재되어 어떠한 전투상황에서도 신속한 전개가 가능하다. Stinger-RMP 미사일은 헬리콥터에서는 공대공 미사일로 지상에서는 지대공 미사일로 사용이 가능하다.

2) Mistral

가장 최근의 경향 중 하나는 MANPADS 미사일이 다양한 종류의 임무에 사용될 수 있어 공통성과 군수지원의 간이화가 제고된 것이다. 예를 들면 Mistral은 다양한 지상 방공시스템에서 뿐만 아니라 헬기 탑재 공대공 미사일 및 전투함의 근접 방어시스템으로도 사용되고 있다.

Mistral은 본래 프랑스軍 요구에 맞게 개발되었으나 현재 MANPADS 시장에서 가장 인기 있는 시스템이 되고 있다. 1988년 처음 생산된 이래 25개국의 36개軍에서 16,000기에 달하는 미사일과 발사장비를 운용하고 있다. MBDA社는 1,100기 이상의 Mistral 미사일이 실제 운용 환경에서 발사되어 93%의 명중률을 나타냈다고 주장하고 있으며, 지금은 더욱 향상된 Mistral 2로 대체되고 있다.

Mistral의 기본형은 다양한 형태의 시스템으로 운용되고 있으며, 여기에는 ALBI(장갑차 탑재 연발형), ATLAS(연발형) 및 ATAM(공중 발사형), 해군용의 SADRAL, TETRAL 및 SIMBADS, 그리고 SIGMA(Stabilized Integrated Gun Missile Array) 등이 포함되어 있다.

방공 시스템의 기동성이 높아짐에 따라 프랑스의 Thales Air Defense 社는 프랑스군이 운용하고 있는 VSHORADS를 위한 이동식 발사장치 Aspic을 개발했다. 이 발사 장치는 Land Rover나 Peugeot 4×4 크로스컨트리 차량 등의 뒷부분에 설치되는 포탑에 전자 광학 추적 장치와 4기의 발사준비 상태의 미사일을 장착한 것이다. 사수는 차량 내에서 또는 최대 50m 밖에서 시스템을 원격 조종할 수 있다.

Mistral 발사대에는 기본적으로 다양한 피.아 식별 장치와 야간 조준 장비가 장착될 수 있다. 점점 많은 국가에서 MCP(Mistral Co-ordination Post)를 채택하고 있는데, 이것은 Oerlikon Contraves 레이더와 함께 탑재되어 화포와 미사일을 포함한 총 9개의 방공 시스템을 통제할 수 있다.

그림 6-4. Mistral 휴대용 대공유도탄

MANPADS는 레이더 유도방식에 비해서 매우 정교한 적외선 유도시스템을 사용함으로써 직격파괴(hit-to-kill) 방식의 견착발사 미사일의 개발이 가능해졌다. 그러나 미사일을 포함한 발사대 중량을 20kg 이하로 유지시켜야 하는 필요성으로 인해서, 미사일이 명중되더라도 표적에 약간의 손상을 입히거나 Su-25 전투기와 같이 방호력이 우수한 항공기의 경우 전혀 피해를 입히지 못할 수도 있다.

견착식에 비해서 거치식 발사대를 사용함으로써 보다 무거운 탄두의 미사일 발사가 가능해졌고, 이에 따른 사수의 피로도 감소되었으며, 외부로부터 제공되는 표적정보를 수신하는 것도 보다 용이해졌다. 이 분야에서 선두를 달리고 있는 시스템 중의 하나가 널리 알려진 MBDA社의 Mistral인데, 이 미사일은 적외선 유도방식을 채용하고 있으며 최고 6,000m까지의 거리에서 초음속 표적과 교전할 수 있다.

Matra社가 개발한 Mistral 미사일은 1987년경에 최초로 작전운용에 들어갔다. 무게가 20kg인 이 미사일은 견착발사가 불가능하며 비교적 단순한 형태의 휴대용 발사대를 이용하여 발사한다. Mistral 미사일은 헬리콥터에서 발사하는 공대공 미사일로 사용되는 등 다양한 플랫폼에 탑재할 수 있으며, 함정에 탑재하는 포탑형을 비롯해서 Mistral 미사일의 파생형을 모두 열거하는 것이 어려울 정도로 그 형태가 다양하다. 따라서 이러한 융통성이 Mistral 미사일을 상업적으로 성공하게 한 원동력이 되었다.

Mistral 미사일은 탄두 무게가 3kg이며, 경차량 또는 지상에 설치되는 2연장 ATLAS 등을 포함하는 다양한 형태의 시스템에 사용이 가능하다. Albi는 경량의 차륜차량 또는 궤도차량의 포탑에 설치되는 2연장 발사대이다. MCP 차량은 최대 12개까지의 Mistral 시스템을 통제할 수 있다. 16,000기 이상의 Mistral 미사일이 25개국 36개 군에 판매되었으며, 미사일은 발사시험에서 93%의 성공률을 보였다.

단순한 형태의 Mistral 미사일 발사대 및 보다 가벼운 또 다른 발사대가 MBDA社가 MCP를 도입하면서 더욱 각광을 받게 되었다. MCP는 Stinger 및 Igla 미사일 등 소형 경량의 미사일이 갖고 있는 취약점 중의 하나를 확실하게 해결하였다. 이와 같은 경량 미사일은 매우 우수한 기동성을 갖는 장점이 있기는 하지만, 사수는 특히 좁은 계곡 아래나 숲 속에서와 같이 시계가 제한되었을 경우, 초 저고도로 비행하는 표적의 위치를 파악하기가 매우 어렵다. 케이블 또는 무선으로 지휘소에 연결되는 MCP는 미사일이 표적 방향 쪽으로 향할 경우에는 소리를 크게 발생시키고 표적 방향에서 벗어날 경우에는 감소시킨다.

실전 배치된 지 15년이나 되었기 때문에 개량이 이뤄져야 하는 것은 당연하며, 개발업체는 Eurosatory 2000에서 속도기동성 및 사거리능력이 향상된 Mistral II를 공개한 바 있다.

나. VSHORADS

VSHORADS 시스템은 최근에 개발된 것으로서 대형 차량에 탑재되는 SHORADS 시스템에 비해서 소형이다. 제 1세대 VSHORADS는 전투기 및 수송기의 배기구에서 나오는 적외선 신호를 추적하여 요격할 수 있도록 최적화되어 있다. 결과적으로 제 1세대 VSHORADS는 플레어 및 채프 그리고 항공기의 갑작스런 기동에 의해 쉽게 기만당할 수 있는 약점이 있다. 그러나 최근 몇 년 동안 첨단 탐색기와 보다 빠른 추진모터를 장착한 단거리 미사일의 개발이 빠른 속도로 진행되고 있으며, 최신 시스템은 항공기의 전방(前房)을 비롯한 거의 모든 방향에서 敵 항공기에 대한 공격이 가능해짐으로써 매우 높은 요격율을 나타내고 있다.

시선 지령 유도(command to line of sight) 방식을 사용하는 구형 SHORADS의 경우, 복수 표적에 대한 대응 능력이 떨어지고 원거리 표적에 대한 명중률이 떨어지나, 반면에 차세대 VSHORADS는 빠른 대응 시간, 복수 표적에 대한 요격 능력과 명중률 및 파괴력이 크게 향상되었다. 차세대 VSHORADS에는 MBDA社의 Mistral과 Mica VL, Thales社의 Crotale R440 SAM, STN Atlas社의 ASRAD, MBDA社의 Jernas, Raytheon社의 Avenger, 러시아의 Tunguska 미사일 / 포 시스템, Oerlikon Contraves社의 Skyguard와 Skyshield, 그리고 NORINCO社의 Sky Shield 미사일 / 포 시스템 등이

있다.

이러한 차세대 VSHORADS는 fire-and-forget 유도 방식을 사용함으로써 복수 표적에 대응할 수 있으며, 능동 레이더 또는 수동(受動) 적외선 탐색기가 장착된 미사일을 발사할 수 있기 때문에 방해책에 대한 대응능력이 높고, 추력방향제어(TVC : Thrust Vector Control) 시스템을 채택하여 360° 전방위 발사 및 수직 발사가 가능하다.

그 외에 차세대 시스템은 미사일의 조종날개와 TVC를 이용하여 12㎞ 거리에서 30G까지의 탁월한 기동성을 나타내며, 저장/발사 컨테이너를 이용하여 발사 차량과의 통합이 용이하고, 고도 9,000m까지의 표적을 요격할 수 있는 능력을 갖추고 있다.

더욱이 VSHORADS의 주요 특성 중의 하나는 이 시스템을 차량에 탑재할 수 있을 뿐만 아니라, 중형 수송 헬리콥터 또는 전술 고정익 수송기로 공수가 가능하다는 점이다. 이와 같은 기동성은 신속한 대응시간과 더불어 방공망의 범위를 확장시켜주는 효과를 낼 수 있으며, 이로 인해 필요한 시스템의 수량을 줄일 수 있다.

1) Crotale NG

프랑스의 Thales社는 지상배치 방공 시스템 중에서도 초단거리, 단거리 및 중거리 시스템 분야 시장에서 국제적으로 손꼽히는 선두 기업 중 하나이다. 단거리 방공 시스템의 경우 Thales社는 현재 전 세계적인 최첨단 미사일 시스템 중의 하나인 Crotale NG를 판매하고 있다. 이 시스템은 민간 지역 및 군사기지의 방공임무뿐만 아니라 장갑 및 기계화 지상군의 방어 임무에 적합하도록 설계되었다.

Crotale NG는 현재 프랑스 공군과 해군에 실전 배치되어 있으며 여러 국가들에 수출되기도 하였다. 함정배치 및 지상배치 시스템 모두 VT-1 초고속 미사일을 사용한다. 초단거리 방공시 스템의 경우 60여 개 국가에 60,000기 이상의 미사일을 판매한 Thales社는, 현재 신형 레이저유도 방식의 Starstreak 미사일도 판매하고 있다. Starstreak 미사일은 기동력 향상을 위해 다양한 종류의 경량 및 중량의 차량에 모두 탑재가 가능하다.

　Thales社는 Flycatcher MK 2와 같은 VSHORADS 지휘통제 시스템 및 감시 레이더의 설계와 제작에도 특별한 능력을 가지고 있다. Flycatcher MK 2는 모든 것이 완비된 지휘통제 센터로서, 실전에 배치된 거의 모든 방공장비를 통제할 수 있다. 기타 시스템으로는 조기경보 및 독립된 발사 유닛에 표적정보를 제공하는 저고도 단거리 공중감시 레이더 Page, 첨단 전자광학식의 무기통제 시스템 Mirador, 최대 24㎞에서 이동 지상표적을 탐지하는 소형 레이더 Squire 등이 있다.

그림 6-5. Crotale NG 방공시스템

2) Roland

　Euromissile社의 Roland 방공 시스템은 기동부대 및 비행장과 같은 중요시설의 방호를 위해서 개발되었다. 이 시스템은 궤도차량(프랑스는 AMX-30, 독일은 Marder) 또는 Carol 쉘터(지상, 트레일러 또는 트럭에서 운용할 수 있으며 항공기 수송이 가능한)에 탑재할 수 있다.

최신의 Roland 3 시스템은 전천후 시스템으로 레이더. 적외선 및 광학 감시 /추적장치 그리고 CLOS 유도장치를 장착하고 있으며 사거리는 8,000m이다. 특히, VT-1 미사일은 사거리를 12,000m까지 연장할수 있다. 약 26,000기의 미사일과 644대의 발사유닛이 11개 국가에서 운용되고 있으며, 가장 최근에 도입한 국가는 Slovenia이다. 프랑스 육군은 약 20개의 Carol 쉘터를, 그리고 독일 공군은 10개를 보유하고 있다. 1999년 말 프랑스는 Euromissile社와 Glaive 광학식 사격통제 시스템과 BKS 디지털 관리 시스템을 사용하여 기존의 Roland 방공 시스템을 Enhanced Roland로 성능 개량하는 계약을 체결하였다. 독일은 2020년까지 Roland 시스템을 계속 운용할 계획이다.

그림 6-6. Roland 방공시스템

3) Strela-10

러시아는 기동 및 전차부대에 대한 방호용으로 9A35MZ 또는 Strela-10(SA-13) 미사일 시스템과 함께 ZSU-23-4 포 시스템을 상호 보완적으로 널리 운용하고 있다. 이 시스템은 TDB(OKB-13)에서 9M31 Strela-1(SA-9)을 대체하기 위해 개발한 것이다. 9A35MZ 시스템은 MTLB 차량에 발사준비 상태의 미사일 4기와 재장전용 미사일 4기를 탑재하고 있다. 4대의 차량 중 1대는 항공기에 탑재된 전방 감시 레이더로 부터 방출되는 전파를 탐지하기 위한 PDF(Passive Direction Finder)를 장착하고 있다.

다른 3대의 차량은 지휘차량 또는 다른 방공 시스템으로부터 표적에 대한 정보를 무선으로 수신한다. 발사에 앞서 사수는 3개의 유도 모드 중 하나를 선택한다. 광학 대조 유도(optical contrast guidance) 방식을 사용함으로써 접근하는 표적과의 교전이 가능한데, 이러한 능력은 Chaparral 미사일과 비교해서 크게 우수하다. KMP社는 Strela -10M3 시스템용으로 9M333 미사일을, Strela-10MD 시스템용으로 9M37MD 미사일을 각각 판매하는 것으로 알려지고 있다. 체코의 Retia社는 Strela-10 시스템에 9M31M 미사일과 9S86(Snap Shot) 레이더를 사용하고, 지휘통제 센터로 부터 표적정보를 수신할 수 있도록 디지털 링크를 결합한 성능개량 시스템을 개발하였다.

그림 6-7. Strela-10(SA-13) 방공시스템

제 3 절 복합 대공무기

1. 개 요

　　오늘날의 공중위협은 적 항공기에 대한 대공방어뿐만 아니라 다양한 형태의 공대지 공격에 대응해야하는 복잡하고도 정교한 성능의 방공시스템이 요구되어 가고 있다. 이러한 위협에 대처하기 위해 대공포와 미사일을 하나의 체계로 묶어 운용함으로써 상호의 장점은 극대화하고 단점은 극소화하기 위한 복합 무기체계가 등장하기 시작하였다.

　　단일 방공시스템에 포와 미사일을 혼합 구성하여 방공능력을 증대시키는 방안은 특히 기동 방공시스템의 측면에서 매우 유리하며, 구 소련은 수십 년 전에 이미 이와 같은 방안을 채택한 바가 있다. 서방 국가에서는 소련이 채택한 이후에야 포/미사일 복합시스템을 채용하기 시작하였으며, 소련 시스템이 궤도차량에 여러 개의 포와 미사일을 탑재한 크고 무거운 시스템인 것에 반하여, 서방국 시스템은 지프 형태의 기동 차량에 탑재하는 보다 경량의 시스템을 채용하였다.

　　대공포가 장착된 포탑에 미사일 발사대를 추가로 탑재함으로써 방공시스템의 능력을 더욱 강화시킬 수도 있다. 미사일의 탑재로 인하여 방공시스템의 최대 교전 사거리가 현저히 증대되고, 따라서 적 항공기가 목표로 하는 지상 표적에 가까이 접근하지 못하도록 견제할 수 있다. 대부분의 시스템들이 현재 운용 중인 포탑에 미사일 발사대를 부착하고, 기존의 전자 장치에 미사일을 발사할 수 있는 사격통제 장치를 추가함으로써 비교적 간단하게 방공시스템의 성능을 개량하고 있다. 추가하는 미사일은 일반적으로 그 성능이 입증된 시스템들이며, 이상적인 것은 미사일이 fire-and-forget 방식이어야 한다. 이와 같은 미사일로는 프랑스의 Mistral, 러시아의 Igla(SA-7) 및 미국의 Stinger 등의 견착 발사형 미사일이 있다.

　　ZSU-23-4 Shilka 시스템에서와 같이 대부분의 경우 성능개량을 통해서 미사일 기능을 추가하고 있지만, 러시아의 2S6M Tunguska와 같이 포와 미사일을 처음부터 포탑에 탑재하여 개발한 방공시스템도 있다.

종래의 자주 대공 기관포로는 적 항공기의 미사일 공격으로부터 우군의 기갑부대를 보호할 수 없었다. 기관포는 사거리가 너무 짧고 지대공 미사일로는 가려진 언덕으로부터 갑자기 나타나서 저공으로 공격해 오는 헬기와 같은 표적을 요격하기는 불가능하다. 그래서 최근에는 자주 대공 대공포에 소형 지대공 미사일을 혼합한 자주 대공방어 시스템이 운용되기 시작하였다. Tunguska는 이와 같은 형태의 시스템 중에서 선구적인 존재이며 완성도가 높고 중무장을 갖추고 있으면서도 비교적 값이 싼 대공방어 시스템이다.

항공기나 공격헬기의 성능이 향상되고 정밀 공대지 미사일, 장거리 대전차 미사일이 실용화됨에 따라 종래의 20~40mm의 대공포로는 대공방어 임무를 제대로 할 수 없게 되었다. 한편 중·장거리 지대공 미사일은 대형으로 고가이며 기동성 또한 제한되기 때문에 저공 침투 표적에 대한 대응 시간이나 최단 유효사거리 측면에서 근접 방어가 어렵다. 대공포는 높은 발사속도, 높은 명중률, 신속 대응성, 저비용, 지상전에서의 대응 능력 등의 장점을 가지고 있으나 무유도 사거리가 제한되어있는 것이 단점이다. 휴대용 미사일 등은 약 1km 이내의 사각지역을 제외한 3~5km까지의 높은 명중률의 장점을 가지고 있으나 표적의 수동탐지, 추적의 제한성과 야간능력의 제한, 고가의 유도탄, 상당수의 인력 소요 등의 단점을 가지고 있다. 이러한 별개의 두 무기체계를 상호 보완적으로 통합 운용함에 있어 무기체계의 효과를 극대화하기 위한 것이 복합시스템의 개념이다. 물론 기동성과 생존성을 유지 및 향상하기 위한 측면에서 견인 형태보다는 자주 형태의 궤도차량이나 차륜차량에 대공포와 휴대용 미사일 그리고 탐지 및 추적장치의 사격통제장치를 장착함으로써 두 체계의 단점 등을 해소하고 대공방어 능력을 높일 수 있다.

세계 각국에서는 이러한 개념으로 주로 23~35mm급의 대공포와 4.5~6km의 유효사거리를 갖는 휴대용 미사일 내지는 8~9km의 유효사거리를 갖는 단거리 미사일을 장착한 복합시스템을 개발하고 있으며, 또한 일부 국가에서는 기존 대공포로만 운용중인 화기에 성능개량 차원에서 휴대용 미사일이나 단거리 미사일을 장착하여 복합시스템으로 전환 운용하고 있고, 처음부터 새로운 복합시스템을 개발 또는 도입하여 운용중인 국가도 있다.

예로써 Gepard 1 A2 SPAAG(Self-Propelled Anti-Aircraft Gun) 자주 대공포에는 4기의 Stinger 미사일이 탑재되어 있고, 또한 미국의 LAV-AD (Light Armoured Vehicle-Air Defense)도 좋은 예다. 현재 미 해병대에서 운용 중인 LAV-AD 시스템은, LAV 8×8 차체에 25㎜ GAU-12/U Gatling 포가 장착된 포탑이 설치되어 있고, 여기에 각각 4기의 Stinger 미사일이 탑재된 2개의 pod가 부착되어 있다.

러시아도 비슷한 시스템을 개발했는데 256M Tunguska 시스템에는 4개의 레이더로 통제되는 속사형 30㎜ 포와 8기의 SA-19 Grison 미사일이 탑재되어 있다.

중국은 최근 Type 95 시스템을 판매하고 있는데 이 시스템의 포탑에는 4문의 25㎜ Type 85 포와 4기의 fire-and-forget 형 QW-2 MANPADS가 탑재되어 있다. 이 시스템은 유사한 차체에 탑재된 CLC-2 레이더와 함께 운용된다.

여러 해 동안 이스라엘 방위군은 구형의 미국제 포탑에 20㎜ Vulcan 포를 탑재한 M163 Vulcan SPAAG를 사용해 왔다. 이 구형시스템의 성능개량을 위해서 이스라엘의 IAI社는 여기에 4기의 Stinger 미사일과 표적 추적 능력을 강화하기 위한 전자광학 사격 통제 시스템을 통합시킨 개량형 Machbet를 개발하였다.

2. 발전 추세

複合 대공무기 시스템이 출현하기 이전에는 기동부대에 편성된 대공포는 기동부대와 같이 기동하면서 敵 공중위협에 대한 근접방어 임무를 수행하고, 상비사단에 편성된 대공포는 점표적 방공이나 사단지역 방공 등으로 고정형태의 일정지역 방어개념으로 운용되어 왔다. 그리고 휴대용 미사일은 주요 지휘소, 전투 지원시설 등 고정된 방호 목표와 적기 접근이 용이한 주요 애로지역 등에 중점적으로 배치하여 운용해 왔다. 무기체계 자체에 탐지나 추적센서를 갖춘 대공포는 독자적으로 목표물에 대한 정보

획득을 통해 탐지로부터 추적 및 사격에 이르기까지 자동적으로 교전이 가능하나, 센서를 갖추지 못한 대공포와 휴대용 미사일은 인접한 저고도 탐지 레이더를 통해 위협 표적에 대한 정보를 받아 탐지부터 추적 및 사격에 이르기까지의 모든 절차가 수동으로 운용되어 왔다.

전자 기술과 컴퓨터 및 반도체 기술의 발달로 모든 부품들이 고속화, 고용량, 고정밀 및 초소형화로 이루어져 체계의 기능이 다양화 및 복합화 하는 경향으로 바뀌어지게 되었다. 그동안 대공포는 대공포대로 휴대용 미사일은 휴대용 미사일대로 체계의 기능과 운용상의 단점을 안고 별개로 운용되어 왔으나, 이제 기술적으로 그 단점을 보완해 줄 수 있는 길이 열리게 되었는데 그것이 두 무기체계를 한 체계로 묶는 복합시스템으로 선진국에서는 앞 다투어 개발에 착수하기에 이르렀다. 따라서 대공포 사거리 밖의 원거리에서는 대공포가 자체적으로 보유하고 있는 탐지센서와 추적 센서를 이용하여 표적을 포착하고, 포착된 표적에 대하여 휴대용 미사일을 발사한다. 운용자 입장에서는 원래의 휴대용 미사일을 운용하는 절차보다 교전이 용이하게 되었고, 휴대용 미사일이 1~2차 교전하고 미격추된 표적의 경우 또는 대공포의 유효사거리 내에 접근해 있는 표적에 대하여 1차부터 최대 4차까지 대공포가 교전할 수 있기 때문에 복합시스템의 교전영역(0~9㎞) 내의 표적은 결코 복합 대공 무기 시스템의 운용 영역을 피할 수 없도록 화기의 기능을 발전시키고 있다.

한편 운용요원의 수에서도 현대식 자주 대공포는 대부분이 3~4명으로 구성되어 있고 휴대용 미사일은 2~3명으로 운용되지만, 복합시스템의 경우 원래의 자주대공포 운용원만으로도 충분히 가능함으로 운용병력을 줄일 수 있는 장점이 있다.

미래전의 공중위협 양상은 敵 항공기뿐만 아니라 무인기, 순항 미사일, 스마트 폭탄, 지대지 미사일, 대형 장거리 정밀 포탄 등으로 다양화 될 것으로 예측되어 그 위협의 규모는 점점 크게 증가할 것으로 보이며, 이러한 위협은 중·고고도 위협보다도 저고도 내지는 초저고도 위협으로 존재할 것으로 판단된다.

이것은 아군의 최전방뿐만 아니라 후방까지 방어를 해야 하는 것으로 대공방어 필수지역이 전 지역으로 확대되는 것을 의미하며, 이러한 위협들은 표적 발견 시부터 최종 타격 시까지 노출되는 시간이 극히 짧기 때문에 이에 대응하는 대공방어체계는 매우 어려운 상황에 놓이게 된다. 또한 이러한 표적들은 아군의 방공망을 회피하고 산악지형과 지물 등을 교묘히 이용하여 저고도로 기동하는 형태로 침투하여 공격하기 때문에 단 1회 교전으로 격추시키거나 임무를 포기시켜야 아군의 생존성이 보장되는 특징이 있다. 따라서 점차 이러한 공중위협에 대응하는 저고도 방공 시스템은 대략 다음과 같은 특성을 보유한 형태의 무기체계로 발전하는 추세에 있다.

가. 신속 대응능력 확보

과학기술의 발달과 아울러 항공기나 헬기의 성능이 눈부시게 발전하면서 이들의 대지 공격 전술이 발달되어 방공 무기체계에 노출되는 시간이 아주 짧아질 뿐만 아니라 순항 미사일이나 전술 지대지 미사일 등은 속도가 빠르고 지표면에 바짝 붙어서 기동하기 때문에 아군의 탐지수단에 노출되는 시간이 극히 짧아지는 추세이다.

따라서 이들 대공표적에 대한 교전능력을 확보하기 위해서는 대공표적의 탐지에서 피아식별, 표적획득 및 추적, 선도각 계산, 포탑구동 및 대공사격에 소요되는 시간 즉 체계 반응시간이 단축되는 추세에 있다. 이에 따라 방공 시스템도 전개시간을 줄이기 위해 견인형에서 자주형으로, 사격방식도 정지 사격형태에서 기동간 사격형태로 불필요한 시간을 줄이며 반응시간을 단축하고 있다.

나. 생존성 향상

종래에는 고정진지 방어를 위해서는 견인형으로 운용되고 있으며 기계화 사단용으로는 자주형 대공포가 운용되어 왔으나, 아군의 전차나 장갑차의 기동성과 방호력이 증대되면서 적과 직접 조우하는 지역에서 운용되기 때문에 대공포의 생존성 향상 필요성이 대두되었고, 고정지역에서 운용되고 있는 견인형 대공포도 생존성 문제로 점차 자주형 형태로 전환되고 있는 추세이다. 특히 기계화 사단에서 전차와 장갑차 등과 합동 작전하는 장비는 정지 간에 대공사격을 하여야 함으로 敵에게 쉽게 공격받을 수 있다는 문제점에서 점차 기동 간에 대공사격이 가능한 형태로 발전되고 있다. 기동 간 대공사격을 위해서는 주행 중 포탑구동 안정화 기술이 적용되어야 하며, 이는 각종 센서들의 측정능력과 자세 변화로 인한 선도각 변화를 순간적으로 보상하여야 하는 기술적 한계로 20km/h 이내의 속도에서 포탑구동을 안정화시키는 기술이 적용되었으나 최근의 컴퓨터 관련 기술의 발달로 30~40km/h 속도까지 안정화시키는 기술로 발전하고 있다.

다. 전천후 주.야간 교전능력 보유

현대의 공중위협은 주로 야간에 수행되고 있는 현상이 걸프전이나 이라크 전에서 나타나고 있으며 주.야간 또는 전천후 교전능력을 확보하기 위하여 탐지 및 추적 레이더와 열상 추적장치를 함께 장착하고 있는 추세이다. 특히 열상 및 탐지 추적장치는 주.야간 운용이 가능할 뿐만 아니라 敵의 전자교란에 대해서도 아무 영향을 받지 않기 때문에 최근 들어 각광받고 있는 첨단 기술이다.

라. 명중률 향상

기존의 공중위협은 항공기 및 헬기로서 비교적 표적이 크고 탐지가 용이하고 추적 수단들의 정밀도로서 대응이 가능하였으나, 순항 미사일과 같은 유도탄은 표적의 크기가 작고 기동성이 유연하여 지표에 근접하여 비행함으로서 탐지하기가 어려울 뿐만 아니라, 아군지역에 유도탄이 떨어지면 그 피해가 엄청나기 때문에 단 1회 교전으로 반드시 격파하여야 하는 특성을 갖고 있다. 따라서 작고 빠른 표적을 교전하여 명중률을 향상시키는 방법으로서 高발사율과 低분산도의 대공포를 채택하고 있으며, 아울러 탄 자체의 명중률 즉, 살상률을 극대화하기 위하여, 전방 분산탄(AHEAD : Advanced Hit Efficiency Destruction) 또는 분리식 철갑탄(FAPDS : Frangible Armor Piercing Discarding Sabot)이 적용되고 있는 추세이다.

1) Tunguska

舊 소련에서 최초로 개발된 본격적인 대공 자주포는 T54 전차의 차체에 S68 57㎜ 73구경 기관포 2문을 회전 포탑에 탑재한 ZSU-57-2 이다. 그러나 이 자주 기관포는 사격 통제장치가 수동식의 광학 조준 방식이며, 전천후 성능이 없는 것은 물론 기관포의 발사 속도 또한 낮기 때문에 고속의 항공기를 추적하여 유효탄을 발사하기가 어렵다.

그 후로 개발된 것이 60년대 중반에 실용화된 ZSU-23-4 Shilka이다. 이 시스템은 기관포에 구경 23㎜(80 구경장)의 ZU-23 기관포 4문을 묶어 매분 3,400발이라는 대량의 탄을 발사할 수 있고, 더욱이 사격통제가 RLSB-76 레이더로 이루어지기 때문에 대단히 우수한 명중률을 나타내었다. 이 시스템의 성능이 실전에서 입증된 것이 1973년의 제4차 중동 전쟁이다. 이 전쟁에서 격추된 이스라엘 항공기 112대의 대부분이 시리아 및 이집트 군에 배치되어 있던 Shilka에 의한 것으로 알려지고 있다. 또한 1991년의 걸프전에서 잃은 이탈리아 및 영국 공군의 Tornado GR1 공격기도 이라크의 Shilka에 의한 것으로 추측되고 있다.

Shilka는 현대 전장에서도 효과적으로 사용할 수 있는 대공 무기이지만, 대공포의 최대 유효사거리가 2,500m 밖에 되지 않아 사거리 4㎞가 넘는 대전차 미사일을 탑재한 공격 헬기에는 대응할 수 없다. 예를 들면 미 육군의 AH-64 Apache나 미 해병대의 AH-1W Super Cobra 공격 헬기에 탑재되어 있는 Hellfire 대전차 미사일은 6㎞ 이상의 유효사거리를 갖고 있으며 야간이나 전천후 조건에서도 사용 가능하다.

舊 소련은 60년대 말부터 기계화 부대나 기갑 부대와 동반하면서 근접 방공 임무를 수행하는 대공방어 시스템으로 기관포와 단거리 지대공 미사일을 혼합하여 탑재하는 복합시스템을 개발하기 시작하였다. 초기 시스템의 부대 배치는 1986년에 시작되었고 NATO와 대치하

고 있는 동쪽 주둔의 소련군에는 1988년에 배치되었다.

러시아는 이와 같은 방식의 자주 대공 시스템의 선도 국가로 15년 전부터 실용화하고 있는데, 이것이 KBP社가 기동 방공시스템으로 개발하여 궤도차량에 탑재한 2S6M Tunguska 시스템이다.

그림 6-8. Tunguska 복합 방공 시스템

이 시스템은 수냉식의 2A38M의 쌍열 30㎜ 포 2개 및 1904발의 포탄 그리고 Fakel사의 9M311(SA-19) 지대공 미사일 8기로 무장하고 있다. 포는 분당 총 5,000~7,500발을 발사할 수 있으며 최대 사거리는 4,000m이다. 반자동 시선지령 유도방식의 9M311 미사일의 최대 사거리는 8,000m이고 최소 사거리는 2,500m이다.

이동 중에 포의 발사는 가능하지만, 발사관에 장착되어 있는 미사일을 발사하는 경우에는 미사일을 손상을 방지하기 위해 차량이 정지해야 한다. 또한 미사일은 광학 조준기를 사용하는 지령유도 방식이기 때문에 주간 발사만이 가능하다. 레이더 시스템은 탐지범위가 18㎞인 E-밴드 탐색 레이더와 J-밴드의 추적 레이더로 구성된다. 이 시스템은 인도에 수출된 바 있다.

러시아의 256M Tunguska 방공 시스템은 처음에는 KBP Instrument

Design Bureau에서 개발하였으나, 그 후 현재 판매를 담당하고 있는 Ulyanovsk Mechnical Factory로 이전되었다. 4기의 미사일 탑재한 Tunguska 시스템이 1986년에 처음 소개되었고, 그 후 탑재 미사일 수량이 8기로 증가되어 미사일 4기를 1개의 블록에 장전한 2개 블록이 포탑 양쪽에 각각 1개씩 장착되었다.

256M에 탑재된 8기의 미사일은 2문의 30㎜ 2A38M (Gsh-30K) 포와 결합되어 있고 2문의 포는 포탑 양쪽에 각각 1문씩 장착되어 있다. 포는 분당 5,000발의 속도로 발사되며 최대 유효사거리는 약 4,000m이다. 포열은 수냉식이다.

미사일은 9M311(SA-19 Orison)을 사용하며 보통 2발씩 발사할 수 있고 유효사거리는 약 8㎞이다. 개량형인 9M311M 미사일은 비행 속도가 보다 빠르고 유효사거리도 10㎞로 연장되었다. 따라서 이 시스템의 방호 범위가 현저하게 확장되었으며 현재 어느 포/미사일 혼합 방공시스템도 이 시스템의 성능과 비교될 수 없을 정도다. KBP社의 Gsh-6-30K 포와 9M311M 미사일은 러시아 해군의 Khastan 방공시스템에서도 사용되고 있다. Tunguska 포탑은 꽤 큰 편이다. 특정한 궤도 차량에 탑재하여 전투 태세 준비를 한 상태인 경우 약 34톤 이상의 중량이 나간다. 그러나 시스템 방공 능력은 아주 탁월하다. 탐색 레이더가 확장된 사거리에서 15m 정도의 초 저고도로 비행하는 표적을 탐지할 수 있도록 특별히 개발되었다. 표적 추적은 자동으로 이루어진다. 즉 레이더는 사격 통제 시스템을 통하여 대공포로 하여금 표적을 조준하게 만들고, 또한 미사일을 발사할 경우에는 미사일을 유도한다. 이 시스템에는 또한 미사일용의 안정화된 광학 조준경도 설치되어 있다.

완전한 Tunguska 시스템은 포탄 및 미사일 보급 차량과 이동정비 및 수리용 차량을 포함한 몇 대의 지원차량을 포함하고 있다. 따라서 시스템 가격이 매우 고가일 것으로 예상되며 현재 이 시스템을 도입한 국가는 인도(50대 이상)뿐이다.

후속 모델인 Tunguska M1은 외부로부터 표적 정보를 수신하고 다른 시스템으로 전송할 수도 있다. 즉, 표적의 레이더 반사면적이 작아서 표적을 탐지하지 못하고 위험에 처해있는 다른 포대에 표적 정보를 대신 제공해 줄 수 있는 것이다.

트럭 탑재형인 KBP社의 Pantsyr-S1 시스템도 쌍열 2A72 30mm 포와 미사일을 결합한 혼합형 방공시스템이다.

러시아는 Tunguska 시스템을 구형의 ZSU023-4 Shilka와 교체할 계획은 갖고 있으나 계속 지연되고 있는 것으로 알려지고 있다. 개량형 Tunguska-M1은 대 재밍 레이더와 보다 긴 사거리의 9M311M 미사일을 탑재하고 있다. 구형의 ZSU-23-4 Shilka 시스템을 성능 개량하여 ZSU-30-2로 변형시키는 방안이 제안된 바 있다. 즉, 4연장의 Shilka 23mm 포를 Tunguska에서 사용하고 있는 30mm 포와 교체하고 그 외 Tunguska의 신형 광학 조준경 및 사격통제장치와 기타 많은 다른 구성부품들을 함께 교체하는 계획이다.

2) Pantsir-S1

Tunguska 시스템 개발에 성공한 러시아는 Pantsyr-S1이라고 하는 자주 대공포와 지대공 미사일을 조합한 새로운 대공방어 시스템을 개발하였다. 이 시스템은 포탑의 좌우에 각각 기관포 1문과 미사일 캐니스터 6개를 장착하였으며 포탑 상부는 뒤쪽에는 표적 탐색 레이더, 앞쪽에는 전자광학 장치 그리고 포탑 전면에는 표적 추적 레이더가 탑재되어 있다. 구성품의 배치나 운용(3명) 측면에는 Tunguska와 같으나 외관이나 사용하는 무기는 크게 다르다.

대공포는 Tunguska에서 사용하는 2A38M 2연장 30mm 기관포와 달리 단연장의 2A72 기관포를 사용한다. 이 기관포는 BMP 3 보병 전투차량에 탑재되어 있는 형과 같다. 구경은 2A38M에서와 같이 30mm이지만 발사속도는 분당 350발로 매우 느리나 포구속도는 960m/s로 같고 중량은 186kg에 대하여 80kg로 훨씬 가볍다.

발사 가능한 탄은 HEF-1(소이 파편탄) 이외에 AP-T(예광 철갑탄)와 F-T(예광 파편탄)RK 있고, 벨트 급탄 방식의 Pantsyr S1에는 좌우의 기관포에 합계 750발이 탑재된다. 이 시스템은 포탑 바로 옆 좌우에 기관포가 1문씩 위치하고 그 외측으로 지대공 미사일 캐니스터 6

개가 탑재된다. Pantsyr-S1에 사용하는 57E6 미사일은 Tunguska에서 사용하고 있는 9M311과 매우 유사한 외형을 갖고 있다. 캐니스터의 길이는 3.2m, 직경이 170㎜, 2단 서스테이너 모터의 직경은 90㎜이다. 중량은 캐니스터를 포함한 전체가 85㎏, 미사일의 발사중량은 71㎏, 탄두중량은 20㎏이며 내부의 충전 화약량은 5.5㎏이다. 9M311 미사일의 탄두중량은 9㎏보다는 훨씬 증대되었다. 근거리에서 갑자기 나타나는 표적이나 위험도가 높은 고속 표적에 대하여 요격 확률을 높이기 위해서 1개 표적에 대하여 2기의 미사일을 발사한다. 미사일의 유도방식은 9M311과 같이 무선 지령 유도방식이며 전자 광학 장치에 의한 적외선 신호와 추적 레이더에 의한 전파신호 2가지를 사용할 수 있기 때문에 동시에 2기의 미사일을 발사할 수 있다. 미사일의 최대 속도는 1,300m/s이며 이 속도에 달하는 데는 1.5초가 걸린다. 사거리 18㎞까지의 평균속도는 780m/s이고 10㎞까지 비행하는데 14초가 소요된다. 유효 사거리는 1~12㎞, 유효 요격 고도는 5~6,000m이다. 57E6 9M311 미사일보다 사거리가 길어지고 탄두 위력이 상당히 증대된 개량형으로 판단된다.

그림 6-9. Pantsir-S1 복합 방공 시스템

시스템의 작동 방식은 Tunguska와 동일하다. 포탑의 후방 상부에 탑재되어 있는 탐색 레이더가 표적을 탐지한 후, 포탑 전방에 있는 추적 레이더가 정밀 추적하며, 포탑 전방 상부에 있는 전자광학장치로 미사일을 유도한다. 탐색 및 추적 레이더는 최대 20개의 표적을 동시에 포착 및 추적할 수 있다. 러시아는 이 시스템은 반응시간이 짧고 지대공 미사일의 비행속도가 빠르며, 미사일의 유도채널이 2개가 있어 1분간 최대 12개의 표적에 대응할 수 있는, 표적 대응 능력이 매우 뛰어난 시스템이라고 주장하고 있다. 탐색 레이더와 표적 추적 레이더가 Tunguska 시스템에서 사용하는 것과 같은 형인지는 알려지지 않고 있다. 기관포의 유효 사거리는 200~4,000m, 고도는 0~3,000m이다. 지상 및 수상 표적에 대한 공격도 가능하며 경장갑 표적에 대한 유효 사거리는 2,000m이다. 항공기 표적의 경우 최대 탐지거리는 36~38km, 추적거리 24~30km에서 최대 1,000m/s 속도의 표적에 대응할 수 있다. 따라서 Tunguska 보다는 한층 성능이 향상된 시스템이라고 할 수 있다. 시스템 반응 시간도 4~6초로 이것도 Tunguska의 6~8초보다 개선된 것이다. 미사일의 발사 가능 범위는 표적과의 중심선으로부터 좌우, 상하 각각 90°이다. 표적 탐색 레이더의 표적 포착에 대한 정확도는 수평 방향에서 0.4°, 수직 방향에서 0.7°, 거리는 50m이며 표적 추적 레이더나 전자광학장치에 의한 표적 포착 및 추적이 비교적 짧은 시간에 이루어질 수 있다. 9M335(57E6) 미사일은 고도 5m에서 6km까지, 그리고 사거리 최대 18km까지 교전 가능하도록 1999년 초에 성능 개량되었다. 개량내용은 근접신관 성능이 5m 반경에서 9m로 증가되었고, 미사일의 순항속도는 최대 1,300m/s, 교전거리 18km에서 평균속도는 780m/s이다. 미사일은 직경 90mm, 길이는 3.2m, 무게는 85kg, 고폭탄두는 20kg이다.

3) Avenger

서방 국가들은 Tunguska 또는 Pantsir-S1과 같은 시스템 개발보다는, 최근 수 년 동안 경량이며 배치가 용이한 차량 탑재형 시스템을 선호해 왔다. 미국의 주력 혼합 기동 방공시스템은 Boeing社의 Avenger

이다. 이 시스템은 4×4 HMMWV(High Mobility Multipurpose Wheeled Vehicle) 고기동 차량에 자이로 안정화 포탑을 탑재하였으며, 여기에 최대 사거리 8km의 8기의 Stinger 미사일로 무장한 것이다.

Boeing社의 Avenger는 포와 미사일을 결합한 복합 방공시스템 중에서도 가장 소형 경량의 시스템이며, 다른 시스템에 비해서 좀 특별한 기동형 방공 시스템이다. 미 육군에서 운용 중인 이 시스템은 미사일을 기본으로 하는 점방어 시스템으로 신속 배치 또는 경무장 부대를 위한 저고도 방공용으로 적합하다.

Avenger는 1980년대 초부터 배치되어 아직도 효과적인 방공시스템으로 인정받고 있으며, 항공기에 의한 수송이 가능하다. 소형 포탑의 양쪽에 각각 1개씩의 포드가 설치되어 있고 각 포드에는 4개의 Stinger 미사일이 장착된다. 미 육군 및 해병대에서 운용하고 있는 이 시스템은 HMMWV 차량에 탑재되며 사수 1명이 표적 탐지와 FLIR 레이저 거리측정기 및 전자 광학 시스템 등의 센서 장비를 담당한다. 방공 시스템 능력을 더욱 향상시키기 위하여 Avenger는 가까이 접근하는 저고도 표적과 교전할 수 있도록 FN Herstal社의 고속 발사형 12.7mm M3P 기관포를 장착하고 있다.

그림 6-10. Avenger 복합 방공 시스템

Raytheon社의 VLR-1 적외선 전방 감시 장치는 세 가지의 시계 (field of view)를 제공하고, 포수는 CAI社의 CA-562 광학조준기를 사용하여 표적을 추적하면서 Raytheon社의 레이저 거리 측정기를 통해서 사격을 통제한다. 또한 이 시스템에는 BDA社의 자동 비디오 추적 장치 및 PPX-3B 피아식별 장치가 장착되어 있다. Avenger는 신형 항법시스템의 추가 및 외부로부터 제공되는 표적정보를 사용할 수 있도록 STC (Slew-To-Cue) 기능을 추가하는 성능개량이 현재 진행되고 있다. 3대의 Avenger를 C-130 수송기로 운반할 수 있으며, 1대는 UH-60 또는 CH-47 헬리곱터의 스링(sling)을 이용하여 운반이 가능하다. Avenger는 1987년 최초로 생산계약이 체결된 후 현재 미 육군, 해병대 및 방위군에서 보유하고 있다. 최초의 실전 배치는 1991년 걸프전이었으며, 미국 외에 Avenger를 운용하고 있는 국가로는 이집트와 대만이 있다.

미국은 Avenger 시스템을 1,000대 이상 보유하고 있으면서 중요한 방공 시스템으로 운용하고 있다. Avenger는 대만 등 몇 개 국가에 수출된 바 있으며 몇 가지 성능개량도 이루어지고 있는데, 여기에는 접근하는 표적을 향하여 신속하게 포탑을 회전시킬 수 있는 제어 시스템과 축전지를 충전하는데 필요한 보조 냉각 /가열 시스템에 관한 내용이 포함되어 있다. Avenger의 수명주기를 연장시키는 방안도 제안되고 있는데 주로 미사일에 중점을 두고 있다. 향후 사용 가능한 대상 미사일로 프랑스의 Mistral에서부터 영국의 Starstreak까지 다양하게 검토되고 있고 다양한 종류의 탑재 차량도 제안되고 있다.

4) LAD-AD

1987년 美 해병대의 소요제기에 의하여 개발된 경장갑 복합 방공시스템(LAD-AD : Light Armoured Vehicle-Air Defense)은 경장갑 차량에 Stinger 미사일, 대공포, 로켓 등 다양하고 융통성 있는 요구에 의하여 70여 개의 제안서가 접수되었으나 최종적으로 General Dynamic社

(현 Martin Marietta社)와 FMC의 체계개념이 선정되어 General Dynamic 사와는 670만 달러에, FMC와는 890만 달러에 시제 계약을 체결하여 개발경쟁을 실시하였고, 1990년부터 양사의 시제품을 시험한 결과 1992년 General Dynamic社 체계를 채택하였다.

美 해병대는 1996년 1월 LAD-AD 17세트를 7,400만 달러(문당 약 440만 달러)에 General Dynamic사와 계약 체결하여 최초 생산품이 1997년 9월에 공급되었고, 나머지 물량은 1998년 8월까지 공급되었다. 미 해병대는 향후 경장갑 부대와 해병기지 등에 배치운용예정이다. 이 시스템은 8×8 경장갑차(LAD)에 GAU-12/U 25mm 5연장 Gating 포와 Stinger 미사일 4발 발사대를 좌우에 장착하는 포탑을 탑재한 것이다.

GAU-12/U 25mm Gating 또는 분당 발사속도가 1,800발이고 대공유효 사거리가 2.5km이며 대공임무 외에 대지공격 임무도 수행한다. 대공 유효 사거리가 5.5km인 Stinger 미사일은 포탑에 장착된 8발 외에도 차체에 8발을 별도로 휴대하고 필요에 따라 MANPADS로도 운용할 수 있다. 사격 통제 장치로는 주야간용 FLIR 조준기와 주간 TV 조준기, CO_2 레이저 거리 측정기를 장착하고 디지털 컴퓨터에 의한 사격 제원 계산, 발사통제 및 자동추적 능력을 갖추고 있다.

그림 6-11. LAD-AD 복합 방공 시스템

분대장, 사수 2명으로 운용하는 포탑은 전동식으로 구동되며 각 가속도는 초당 2라디안이며 선회속도는 1라디안이다. 표적 탐지 및 획득은 미 육군의 경우 사단급 방공부대에 편제하고 있는 FAAD C² I(Forward Area Defense Command and Control Intelligence)체계와 연동되도록 설계하였다. 체계 전체 중량은 약 13톤으로 CH-53E 시콜스티 헬기나 C-130수송기에 의해 수송 가능하며 수상이동 및 기동 중 사격이 가능하다. 한편 GD社는 별도로 프랑스의 Thales社와 합작, 해외수출을 겨냥하며 프랑스 휴대용 미사일로 개발된 Mistral을 탑재하고 별도의 탐지장치인 TRS 2630 레이더를 장착한 Blazer라고 부르는 포탑체계를 개발하여 1994년 공개적으로 시범사격을 실시하였다. 차체는 Bradley 대신 MOWG Pirana(8×8) 장륜형 장갑차 또는 Cadillac Gage의 LAD -300(6×6) 등 유사한 차량을 사용할 수 있는 융통성도 제시하였다. 이 Blazer 포탑체계는 개발완료 되었지만 수출에 대한 계약이 잘 이루어지지 않고 있다.

5) Gepard

독일은 자주 대공포 Gepard에 미국의 휴대용 지대공 미사일 Stinger를 추가로 탑재하여 시스템의 성능을 향상시키는 개조 키트를 개발하였다. Gepard에 장착되어 있는 Oerlikon 35mm KDA 대공포 2문으로는 포의 최대 유효 사거리 3.5km밖에 되지 않기 때문에, 보다 먼 거리에서 장거리 대전차 미사일을 발사하는 헬기 또는 정밀한 공대지 미사일의 공격에 대응하기 어렵다.

이 개량형 Gepard에는 Stinger 미사일 캐니스터 2개가 포탑의 좌우에 탑재되어 있는 35mm 기관포의 외측에 장착되며 이들 미사일 캐니스터 기관포는 일체가 되어 같이 움직인다. Stinger 미사일의 적외선 센서에 사용되는 냉각장치는 미사일 2기가 40회 사용할 수 있는 분량이 탑재된다. 표적의 Gepard에 탑재되어 있던 기존의 탐지 레이더와 추적 레이더를 사용하지만, 미사일을 발사할 때는 포탑 상부에 탑재되어 있는 전자광학장치(EOTS)를 사용한다.

지대공 미사일은 꼭 Stinger에 한정되지 않고 자율유도(fire-and-forget) 방식의 지대공 미사일이라면 다른 여러 가지 기종도 탑재할 수 있다. 이 개량형 Gepard 시스템은 표적이 탐지되고 요격해야 할 표적이 지정되면 미사일의 탐색기가 표적을 고정(lock-on)한 다음 발사하며, 발사후의 미사일은 자율유도 방식으로 표적에 호밍 한다. 이것이 무선 지령유도 방식의 Tunguska 시스템과 다른 점이다.

개량형 Gepard와 Tunguska 어느 쪽이 더 우수한 시스템인가는 한 마디로 말 할 수 없지만, Gepard는 자율유도 방식의 미사일을 사용하기 때문에 복수의 표적에 대하여 신속한 대응이 가능하나, 적외선이나 영상 추적 유도방식의 고유 특성으로 인하여 플레어 또는 연막 등과 같은 방해 수단에 대하여 취약하다. 또한 Gepard의 경우에는 한 번에 발사할 수 있는 미사일의 수가 좌우 합하여 4기이기 때문에, 1개의 표적에 대하여 2기를 발사하면 한번에 2개의 표적밖에는 대응할 수 없다.

그림 6-12. Gepard 복합 방공 시스템

부 록 #1 항공기 명명법

1. 개 요

　　일반적으로 항공기에는 혼동을 피하기 위하여 특정한 문자와 숫자로 구성된 고유명칭 (Proper name)과 별칭인 통상명칭(Popular name 혹은 Nick name)이 부여된다. 항공기의 통상명칭이 기억하기에 가장 쉬운 방법이지만 많은 경우 통상명칭이 부여되지 않거나 제작시 통상명칭이 부여되기 전에 기종에 따라 고유명칭과 통상명칭을 동시에 사용하기도 하는데 민간항공기에 있어서는 일반적으로 제작사의 설계번호로서 구분하고 있다.

　　　　예) 군 용 기 : F-4E 고유명칭 Phantom 통상명칭

　　　　　　민간항공기 : Boeing 제작사 727 설계번호

일반적으로 항공기 명명법은 미국식, 소련식, 영국식 및 캐나다식의 4개가 주로 사용되고 있으나, 여기에서는 미국식을 중심으로 소개한다.

2. 미국식 명명법

　　　　예) XRF - 5A

　　　　　X : 형상부호 ('X'는 시험기를 나타낸다)

　　　　　R : 개량임무 부호 ('R'은 정찰용임을 의미)

　　　　　F : 기본임무 부호 ('F'는 기본 임무가 전투기임을 의미)

　　　　　5 : '5'는 전투기중 5번째로 개발된 것을 의미

　　　　　A : 'A'는 F-5중 첫 번째 개량형임을 의미

가. 형상 부호

　　항공기의 기본임무가 아니라 현 상태를 나타내는 부호임.

　　● G : 지상 시험용 항공기(Permanently Grounded)

- J : 시험을 위해 잠정적으로 제외된 항공기
   (Special Test, Temporary)
- N : 시험을 위해 영구적으로 임무가 제외된 항공기
   (Special Test Permanent)
- X : 연구목적의 시험기(Experimental)
- Y : 시제기(Proto type)
- Z : 퇴역항공기(Obsolete)

나. 개량임무 부호

항공기의 내부 또는 외부 장치의 일부를 개조하여 기본임무와 상이한 임무 또는 외부 장치의 일부를 개조하여 기본임무와 상이한 임무 또는 추가로 임무가 부여된 경우 쓰여지는 부호로서 기본임무 부호 앞에 붙는다.

다. 기본임무 부호

- A : Attacker(지상공격기) → A-1, A-10
- B : Bomber(폭격기) → B-2, B-52
- C : Carrier(수송기) → C-123, C-130
- E : Electric/Early warning(전자전 관련기, 조기경보기) → E-6, E-3
- F : Fighter(전투기) → F-14, F-22
- K : tanKer(공중급유기) → KC-135, KC-10
- O : Operater(전선통제기) → O-2
- P : Patrol(정찰기, 초계기) → P-3
- Q : 무인기 접두사 → QF-4, QR-38
- R : Reconnaissance(정찰기) → RS-71, TR-1(Tactical Recon, U-2의 개명)
- S : anti-Submarine(대 잠수함기) → S-2, S-3

- T : Trainer(훈련기) → T-6, T-38, T-50, T-1

- V : Vertical take-off and landing(수직이착륙기) → V-22

- X : eXperimental(개념시험기) → X-15, X-37, XF-14

- Y : 프로토타잎(최초제작기체) → YF-22, YB-49, YC-17

　　위 명명법은 미국식으로서 우리나라는 미국의 항공기를 도입하므로 자연히 그에 따르고 있다. 다소 약간 다른 모습을 볼 수 있는데 F-16의 경우 우리나라에는 F-16과 KF-16이 있는데 F-16은 미국에서 생산하여 도입된 기체이고 KF-16 은 우리나라에서 면허생산한 기종을 말한다. 또 F-16C , F-16D, F-16E 등 뒤에 알파벳이 붙는 경우를 볼 수 있는데 이 것은 개량형을 의미한다. 앞의 예 에서 C -> D -> E 순서로 개량 되었음을 의미 합니다. 따라서 F-15K의 경우를 보면 F-15는 미국에서 생산 되었으나 우리 공군의 요구수준에 따라 생산 되었으므로 F-15K 로 명명하며 일본도 F-15를 운용하는데 F-15J라 명명하고 있다. 그럼 각 국가의 항공기 명명 과정을 살펴보면

1) 미　국

　　미국의 최초 전투기 명명법은 2차대전 이전의 미 육군항공대까지 거슬러 올라가며, 이 시기에는 'F-' 대신에 'P-' 라는 접두사를 붙였으며(P-47, P-51) 6.25 무렵 미 육군항공대가 미 공군으로 독립되면서 전투기 접두사가 'F-'로 바뀌게 되었다. 이때부터 항공기의 개발 순서에 따라서 번호를 늘려나가게 됐는데 F-51(P-51)에서부터 출발한 전투기 명칭은 100번대를 넘기게 되었다. 이후 미 3군(공군, 해군, 해병대)의 항공기명칭 통일작업이 이루어지면서 F-113부터 F-4로 개칭이 되었고 이 번호부터 다시 숫자를 늘려가게 된 것이다. 현재의 주력 전투기인 3세대 F-14, F-15, F-16, F/A-18은 개발 순서대로 번호가 붙여진 것이다. 이중 F-17이 비는 것을 알 수 있는데 F-17의 프로토타잎형인 YF-17은 YF-16과의 경쟁에서 패하였으며 YF-16이 F-16으로 정식 채택되게 되어 YF-17은 사장되고 말았다. YF-17은 후에 기체크기를 늘려 F/A-18로 이름을 바꾼 후 현재의 미 해군 주력 전투기

가 되게 되었다. 전투기 번호 중 간혹 비어있는 숫자가 있는 것을 발견하는데, 대개가 이처럼 정식 채택이 되지 않아 사라진 기체들이다. F-117의 경우, Fighter의 머릿글자를 딴 것이 아니고, F-117을 개발했던 록히드사의 선진개발사업부(일명 스컹크 웍스)에서는 스텔스기 개발 사업의 프로젝트를 'F-117'이라고 명명했으며 이것이 나중에 제식 명칭으로 자리잡게 되었다.

2) 러시아

러시아제의 경우, 1940년 이후 항공기 설계자의 머리글자를 따오고 채용된 순서에 따른 일련번호를 명명하였다. 소련은 항공기 명명에서 일련번호를 상당히 비밀로 하여 공표하지 않았기 때문에 서방세계에서는 혼란을 겪기도 했다. 예를 들면, SU-24는 당초 SU-19 로 알고 있었고, TU-26백파이어는 당시 소련이 전력무기제한 협정(SALT)에서 전략폭격기로 규정되는 것을 겁내어 TU-22브라인더의 개량형이라는 인상을 주려고 SALT교섭시에서는 TU-22M 이라는 명명을 사용 했다. 그리고 소련의 명명을 알 때 까지는 나토(NATO)의 애칭만을 사용하는데, 현재 '블랙젝'이 나 '홈컴'등이 그렇게 쓰이고 있다. 이와 같이 소련의 군용 항공기는 그들 고유의 명명과 나토의 명명(코드네임) 이 뒤섞여 쓰이고 있는데, 소련의 고유명명을 알았을 때는 그대로 쓰고 소련의 군용항공기가 개발되거나 확실한 증거가 나타났는데도 소련의 명명을 모르는 경우에는 나토에서 코드네임을 부여한다. 항공기,미사일의 경우에는 1954 부터 나토의 항공기준 조정위원회(Air Standard Coordination Committee)에서 명명해왔다.

- Sukhoi(수호이 설계국) Su-25, Su-27
- MAPO Mikoyan-Gurebich(미코얀-그래비치 마포 설계국)
  MiG-25, MiG-29
- Tupolev(투폴레프 설계국) Tu-16, Tu-160
- Yakovlev(야코플래프 설계국) Yak-18, Yak-38
- Iluysin(일류신 설계국) Il-76, Il-86
- Mil(밀 설계국) Mi-24, Mi-26

부록 #1-4

3) 프랑스

프랑스에는 닷소 항공기 제작회사가 거의 유일하다. 프랑스 항공기는 설계번호 등을 생략한 채 그냥 'Rafale', 'Mirage' 같은 명칭을 붙이고, 개량형 같은 경우 ' - 숫자'를 붙인다(ex. Mirage 2000-5).

4) 영 국

영국의 경우, 예전에는 자체 제작 전투기를 만들었고 명명방식은 프랑스와 유사하다. 그러나 현재는 거의가 미국에서 도입을 하므로 미국판 별칭을 사용하든지, 아니면 미국식 명명법을 그대로 따른다. 다만 계량형은 'Mk.숫자'를 붙인다.

(예 : Harrier Mk.2)

부 록 #2 우방국 항공기

A-10 공격기

1. 개 요

　　근접항공지원(CAS)이라는 단일목적에 주안점을 두고 제작된 항공기로서, 1975년 2월 최초 비행 실시하였으며 1975년 10월부터 1984년 2월까지 총 700여대의 A-10 생산되어 미 공군에 배치되었다.

* A-10 항공기에 대한 해외 수출실적은 없음.

2. 주요 제원 및 성능

구 분		내 용	구 분	내 용
항공기 크기(FT)		14.7×57.5×53.3	기 총	30mm×1,350발
중 량	최대이륙	47,400 lbs	최대속도	450 kts
	최대무장	16,000 lbs	최대 G	- G
엔 진	모 델	TF34-GE-100	최대 항속거리	2,300NM
	추 력	2×9,065 lbs	이착륙거리	4,500/2,500FT
			무장장착대	11 POINT

3. 주요 특성

가. 기 능

- 성능이 좋은 터보팬 엔진을 사용하여 효율이 높고 소음이 적음.
- 우수한 체공능력과 타전투기에 비해 2배 이상의 대기갑 화력 능력 구비, 1회 출격에 16대의 전차 파괴 가능함

나. 기 술

- 항공전자 장비로는 ASN-141 INS 장비와 대공레이더 주파수 변화에 대처할 수 있는 ALR-69 RWR 장비, 걸프전시 각광을 받은 LANTIRN 장비를 장착함
- 저공 작전용 AN-194 레이더 고도계, 초 저공작전 위한 지상접근 경보시스템(GPWS) 장비를 구비함

다. 무장능력

- A-10은 GAU-8/A 30mm 어벤져(Avenger) 기관포가 고정 탑재되어 있으며, AGM-65 매브릭(Maverick) 공대지 미사일, MK-82 스네이크아이(Snake Eye) 폭탄을 포함하여 최대 7,250kg의 무장을 총 11개의 무장 장착대에 탑재 가능함
- AGM-65 매브릭(Maverick)은 대전차 임무수행시 최대 6발까지 장착가능하며, 자체방어용으로 AIM-9L 사이드 와인더(Sidewinder) 공대공 미사일 2발을 장착함

4. 운용 현황

A-10 운용은 현재 수출실적이 없이 미국에서만 운용하고 있으며, 1978년 2월 최초의 해외배치. 알래스카 및 극동지역, 그리고 공군 예비대 및 주방위군 항공대에 배치함 미공군은 성능개량을 통해 2028년까지 223대의 A-10을 운용할 계획임.

AH-64 (Apache)

1. 개 요

　　AH-64 아파치는 유럽의 전장 환경에 맞는 재래식 무기로 특별하게 설계된 공격 헬기로서 조종석과 동체 하부의 보조익에 무장 장착대가 마련되어 있으며, 최첨단의 고성능 항공전자 장비를 탑재하고 있음.

* 추진 현황

- 76년 12월　　　　공식 허가
- 75년 9월　　　　 최초 비행
- 84년 1월　　　　 첫 인도(미국)

2. 주요 제원 및 성능

구 분		내 용	구 분		내 용	구 분	내 용
크기	길 이	17.7m	무장	공대지미사일	16기	엔 진	1,800마력
	높 이	4.64m		30mm기관포	1,200발	최대속도	378km/h
	로터직경	14.63m		70mm로켓	76발	작전반경	450km
중 량		9,570kg				상승고도	6,100m

3. 주요 특성

가. 탑재장비

- 표적획득 / 식별장비(TADS: Target Acquisition Designation System) : 광학 조준기, 적외선 전방 탐지장비, 고해상도 TV, 레이저 조준기, 레이저 및 TV 추적장치로 구성되어 있음.

- 조종사 야시 장비(PNVS: Pilot Night Vision System) : 상방 20도, 하방 45도, 좌우 각90도 회전이 가능함.

- 레이더경보 수신장치

- 도플러 항법장비

- 사격통제 장비(FCR)

4. 운용 현황

아파치는 기본기인 A형 외에 항공전자 장비의 성능을 개량한 B, C, D형 등이 있으며, 현재 미 육군에서 640대와 이스라엘에서 18대를 운용 중에 있고 걸프전에서 우수한 성능이 입증되어 사우디아라비아 등 세계 여러 나라에서 구매계약을 체결하고 있어 향후 전 세계 공격헬기의 주력이 될 것으로 전망됨.

AV-8 공격기

1. 개　요

　　Harrier Ⅱ 계획은 1976년 3월에 승인되어 YAV-8B 1호기가 1978년 11월 9일 최초 비행했으며, 시험비행 중 영국 공군의 제안에 따라 전연 연장 장치(LERX : leading edge root extension)를 설치하여 기동시 안정성 향상됨. AV-8B는 1983년 6월 양산기 12대가 발주됨으로써 생산이 개시되었는데 미국의 M.D사와 영국의 BAe사가 공동으로 생산하여 미 해병대와 영국 공군에 인도함.

2. 주요 제원 및 성능

구　분		내　용	구　분	내　용
항공기 크기(FT)		13.5×56.0×37.5	기　총	25mm×300발
중　량	최대이륙	31,000 lbs	최대속도	M 0.98
	최대무장	13,235 lbs	최대 G	8G
엔　진	모 델	F402-RR-408	최대 항속거리	1,638 nm
	추력	1×23,800 lbs	무장장착대	8 POINT

3. 주요 특성

가. 기 능

- AV-8B는 탑재량과 항속거리를 향상시키기 위해 경량화에 주력하여 그래파이트(graphite), 에폭시(epoxy) 복합소재 등과 같은 가벼운 소재를 광범위하게 사용함
- 출력을 극대화하기 위하여 공기흡입구의 개조 및 팬배기 노즐의 형태를 변경함

나. 기 술

- VTOL의 양력을 증가시키기 위해 양력증가 장치(LID : lift improvement device)를 채택했으며, STOL시의 양력 증가를 위해 고양력형 대형주익 및 플랩(flap)을 채택함
- 조종석은 시계가 양호하도록 개선되었으며, 화력통제 장비도 Hughes사가 개발한 ARBS(angle rate bombing system) 폭격조준장치로 개량함

다. 장착능력

- AV-8B는 AV-8A보다 무장능력이 대폭 강화
- AV-8B에는 GAU-12 25mm 기관포 1문으로서 실탄 300발을 장착
- AIM-9L 사이드 와인더(side winder), 매직(Magic)과 같은 공대공 미사일과 AGM-65E 매브릭(Maverick) 공대지 미사일, BL-755폭탄 12발, 페이브웨이(Pave Way) 레이저(laser) 유도탄 10발, 로켓탄 포드(pod) 10개 등이 탑재 가능함

  * 수직 이·착륙 시에는 3,062kg, 단거리 이·착륙 시에는 7,710kg의 탑재능력 보유

4. 운용현황

- AV-8B는 영국 공군과 미해병대, 스페인 해군에서 운용
- 미 해병대에서는 1983년부터 총 280여대 인수, 현재 154대 운용 중
- 해리어 II는 걸프전에서 작전지역에 최초로 도착한 전술기로서 다양한 기지에서 총 3,380소티를 비행하며 임무 가동율 90% 유지 함.

B-1B 폭격기

1. 개 요

　　재래식 폭격임무를 수행한 B-52 전략폭격기를 대체할 목적으로 개발한
초음속 다목적 전략폭격기로 핵폭탄/재래식, 정밀/비정밀, 유도/비유도 폭탄
운용이 가능한 폭격기

2. 주요 제원 및 성능

구 분	내 용	구 분	내 용
제원(FT)	137(79)×146×34	최대항속거리(NM)	6,470
자체중량(LBS)	190,000	추력(LBS)	30,000×4
최대중량(LBS)	477,000	최대무장(LBS)	75,000
최대속도(Mach)	M 1.2	승무원(명)	4

3. 주요 특성

가. 기 능

- 주익 위치가 전후방으로 조절되는 가변익 항공기로 이·착륙, 공중급유,
고고도 임무시에는 주익을 전방위치에 두며, 저·고고도 임무 등 주임
무시에는 주익을 후방위치에 두고 비행함

- 고정밀의 표적획득과 지상항법시설 없이 전세계 항법이 가능한 GPS/INS 탑재하였고, 지형회피, 지형추적 및 이동표적을 탐지 추적이 가능한 고해상도 SAR 레이더 탑재로 조종장치를 결합한 지형추적 방식 장착으로 지상 60m의 초저고도로 비행이 가능함

나. 기 술

- 핵폭발에 의해 발생하는 폭풍, 고열, 압력, 전자펄스 등에 견딜 수 있도록 동체 가로 및 세로 구조물의 간격을 좁힌 설계를 적용함
- 저공 고속비행시 직면하게 되는 난기류에 의한 기체 요동을 완화시키기 위해 동체 전방 좌우에 30도의 하방각을 가진 귀날개 부착함
- 조종계통은 기계식이며, 승무원석은 사출좌석을 장착

다. 참전 성과

- 1998년 사막의 여우작전으로 실전에 최초 참전하였으며, 1999년 연합군 전체 소티의 2%를 수행하면서 전체 사용한 폭탄의 20%를 투하하였고, 2003년 항구적 자유 작전시 전체 JDAM의 67%인 3,900발을 투하함

라. 장착능력

- 재래식임무 향상 계획을 통해 항전장비 및 무장능력이 향상됨
- 24/GBU-31 또는 MK-84; 84/MK-82
- 30/CBU-87/89/97; ALE-50(견인 디코이 시스템) 탑재 가능
- 30/WCMD; 12/JSOW 또는 24/JASSM

4. 발전 동향

B-52 대체기로 개발하였으나, 재래식 무장성능이 뛰어난 B-52를 지속 운용함에 따라 B-52의 영역 밖인 초음속 폭격기로 운용중이며, 수명연장 및 성능개량하여 2050년까지 운용이 예상됨

B-2 스텔스폭격기

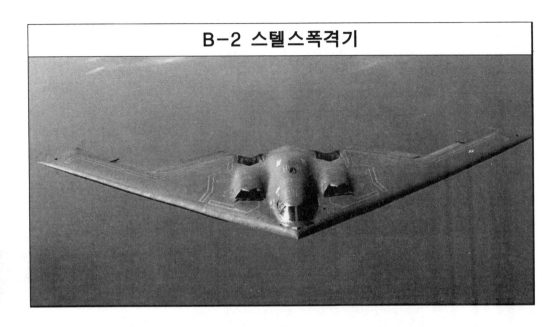

1. 개　요

　　1980년 미국의 카터 행정부는 레이더, 적외선 및 시각에 의한 탐지를 최소화할 수 있는 스텔스 개념.

폭격기 개발계획을 발표하면서 정보가 공개된 다목적 전략 폭격기

　* 2003 : 22대 전력화 완료(2008 : 괌에서 이륙중 추락으로 1대 손실)

2. 주요 제원 및 성능

구　분	내　용	구　분	내　용
제원(FT)	172×69×17	최대항속거리(NM)	6,600
자체중량(LBS)	160,000	추력(LBS)	17,300×4
최대이륙중량(LBS)	336,500	최대무장(LBS)	40,000
최대속도(Mach)	0.8	승무원(명)	2

3. 주요 특성

가. 기 능

- 저피탐성은 항속거리 및 항공기 센서의 작동범위를 넓힐 수 있는 고고도에서의 운용 자유성을 보장함
- 적외선, 음파 및 전자기의 시각 및 레이더 신호의 감소를 통해 저피탐성을 보유함
- 스텔스 특성은 복잡한 적 방공망을 침투하여 최우선 순위의 적 표적을 위협할 수 있는 능력을 보유함

나. 기 술

- 기존의 항공기와 다르게 후미가 W자 형태로 설계
- RCS를 극소화하고 엔진 적외선 방출을 줄이기 위해 배기가스를 외기 공기와 혼합하여 방출
- APQ-181 레이더를 장착하고 있으며, AESA 레이더로 성능 개량 중

다. 장착능력

- 16/JSOW(AGM-154); 16/JASSM
- 80/MK-82
- 16/GBU-31 또는 MK-84; 8/GBU-37
- 34/CBU-87/89/97
  * JSOW : Joint StandOff Weapon
  * JASSM : Joint Air To Surface Standoff Missile

4. 운용 현황

BLOCK 10, 20계열 전 항공기는 1995년부터 BLOCK 30으로 개량을 시작하여 2000년 종료되었으며, 2000년 이후 지속적인 성능개량을 통해 GBU-37, JSOW 및 JASSM 운용 능력을 확보함.

B-52 폭격기

1. 개 요

　　B-36, B-47 폭격기를 대체하기 위해 개발한 전략폭격기로 1955년부터 미 공군에서 운영하고 있는 장거리 아음속 폭격기이며, 재래식 폭격을 위한 높은 성능과 저렴한 운영비로 인해 B-1B, B-2로 대체할 계획을 취소하고 지속 운영중인 폭격기

　　* 2007 : 85대 B-52 취역중

2. 주요 제원 및 성능(B-52H)

구 분	내 용	구 분	내 용
제원(FT)	185×159.4×40.8	최대항속거리(NM)	7,652
자체중량(LBS)	185,000	추력(LBS)	17,000×8
최대중량(LBS)	488,000	최대무장(LBS)	70,000
최대속도(Mach)	0.86	승무원(명)	5

3. 주요 특성

가. 기 능

- 날개는 고익 단엽기이며, 8개의 엔진을 장착
- 1962년 생산 종료되었으나 이후 지속적인 성능 개량을 통해 최신 전자 장비를 탑재하고 있음.
- 다기능 정밀 표적획득 및 추적체계인 내장형EOTS를 장착하여 모든 방향에서 생성되는 IR을 탐지 및 추적 가능 함.
- 접근하는 미사일이나 공중 표적에 대한 정확한 식별 및 위치파악 가능.

나. 참전 성과

- 베트남전에서 총 124, 500회 출격하여 3,735,000톤의 폭탄을 투하
- 걸프전에서는 총 1,624회 출격하여 미국이 투하한 폭탄의 29%, 다국적군의 38%에 달하는 25,700톤의 폭탄을 투하

다. 장착능력

- 동체 후미 20mm 기관포 1문 장착
- 2,000파운드 재래식 폭탄 최대 35발 장착가능
- 순항미사일 12발 장착 가능

4. 발전 동향

- 생산 및 작전배치후 45년이 지났으나, 지속적인 필요성이 대두되어 수명연장 및 성능향상을 통해 2040년까지 계속 사용할 계획임.
- 수차례 성능개량을 통해 수명을 연장하고, JDAM, WCMD 등 GPS/INS 정밀무기를 포함한 미국이 개발한 모든 재래식 무기의 운용능력을 확보할 예정임

C-5(Galaxy)

1. 개   요

C-5 Galaxy는 1963년 미 공군의 대형 전략수송기 개발(CX-HLS : Cargo Experimental-Heavy Logistics System) 계획에 따라 연구 설계된 항공기로 전구간 전략공수와 대량, 초대형 물자 및 인원 공수임무 수행

* 추진현황
  - 1969년 : 첫 C-5A 미 공군에 인도
  - 1986년 : 첫 C-5B 미 공군에 인도
  - 1998년 : C-5M 개량 착수
  - 2006년 6월 : C-5M 첫 비행

2. 주요 제원 및 성능

구 분	내 용	구 분	내 용	구 분	내 용
전 장	248.8ft	기 폭	222.8ft	기 고	65.1ft
자 중	337.937lbs	최대이륙중량	837,000lbs	최대화물 탑재량	261,000lbs
추 력	43,000lbs×4	화물실	길이 : 144.7ft, 높이: 13.6ft, 폭 : 19.0ft		
순항속도	M 0.79	엔 진	TF39-GE-1C 터보팬 엔진 4기		
항속거리	6,800NM	최대상승률	1,800ft/min	제작국/제작사	Lockheed사

3. 주요 특성

가. 기 술

- 항공기 전방과 후방에 적하역문을 설치하여 보다 큰 화물을 적재할 수 있으며, 신속한 적하역이 가능함
- 바퀴가 총 28개인 Twin Delta Tandem Landing Gear를 갖추고 있어서 이착륙 중 최적의 하중 분포가 이루어지도록 설계함

나. 주요 탑재장비

- 지대공 위협 대비 LAIRCM{Large Aircraft Infrared Counter Measure, AN/AAQ24(V)}, MAWS{Missile Approach Warning System, AN/AAR-47 (V2+)}, 승무원 보호용 장갑(Armour Protection System) 등을 장착하고 있음

다. 임무 능력

- 5명의 승무원으로 운용되는 C-5 Galaxy는 상부 화물실에 75명, 하부 하물실에 270명 등 총 345명의 병력, 또는 2대의 M1 탱크 혹은 1대의 M1 탱크와 2대의 UH-1 헬기를 수송할 수 있으며, 병력 및 화물의 공중투하를 위한 장비도 갖추고 있음

4. 발전 동향

- C-5M에는 AMP를 통해 디지털 전천후 비행통제 및 자동비행 시스템과 신형 통신장비, LCD 디스플레이, 안전장비 등이 설치된 신형 조종석이 채택되었음.
- C-5 현대화 사업의 핵심은 보조 전력장치, 항공기 프레임, 착륙바퀴, 조종석 등의 개량 및 GE社 CF6-80C2 상용 엔진을 설치하는 것임. 同 엔진은 美 Air Force One, Boeing社 747, 767에 설치 운용되고 있으며, 이전 GE社 TF39-GE-1C 터보팬 엔진보다 추력이 22% 증가하여 각 엔진 당 추력이 54,000 lbs임. 또한 이륙거리가 30% 짧아지고 상승률이 38% 증가하였음.

C-17(Globemaser III)

1. 개 요

  전차, 장갑차 등의 중화물을 탑재하고 해외의 분쟁지에 전개할 수 있는 대량 탑재능력, 장거리 비행능력과 중간 기착지가 필요없이 전장 근처의 활주로에 직접 착륙할 수 있는 단거리 이·착륙(STOL : short take-off landing) 성능을 보유한 전략수송기 필요성에 의해 개발됨.

  C-17 항공기는 탁월한 항속거리 및 수송능력으로 대륙간 전략공수임무를 수행하며, C-130과 비슷한 이착륙 성능으로 전구내에서 전술공수임무를 병행할 수 있음.

  * 1995 : 전력화(미국, 영국, 호주, 캐나다 운용중)

2. 주요 제원 및 성능

구 분	내 용	구 분	내 용	구 분	내 용
전 장	174ft	기 폭	165ft	기 고	53.5ft
자 중	272,000lbs	최대이륙중량	444,200lbs	최대화물탑재량	172,200lbs
추 력	41,700lbs×4	화물실	길이 : 88ft 높이: 13.42ft 폭 : 18ft		
순항속도	457kts	엔 진	F117-PW-100 터보팬 엔진 4기		
항속거리	4,700NM	최대상승률		제작국 /제작사	미국/McDonnel l Douglas사

3. 주요 특성

가. 기 술

- 군용 수송기 가운데 처음으로 FBW(Fly-By-Wire) 시스템과 3명의 승무원(조종사 2, 적재사 1) 체제를 도입
- 단거리 이착륙 성능 구비를 위해 EBF(Externally Blown Flap)를 중심으로 한 고양력 시스템을 채택

나. 주요 탑재장비

- 기상 및 지형탐지 레이더는 Honeywell社 RDR-4000M, 통신 장비는 AN/ARC-210 비화 라디오, VHF-AM/FM 장비, 고주파, 비화 음성 및 UHF/VHF-FM 인터컴, 적아식별장비, 조종석 음성 녹음기, 사고 장소 표시기 등이 장착되어 있음.
- 지대공 위협 대비 LAIRCM(Large Aircraft Infrared Counter Measure, AN/AAQ24(V)13), MAWS(Missile Approach Warning System, AN/AAR-47), Automatic Flare Dispenser(AN/ALE 47), 승무원 보호용 장갑(Armour Protection System) 등을 장착하고 있음

다. 임무능력

- 최대 화물탑재량은 C-141B의 2배에 가깝고 C-130의 3배에 달하며, C-5 밖에 수송할 수 없었던 주력전차, 보병전투차량(IFV), 대형군용트럭, UH-60, AH-64 등의 탑재도 가능함
- 고양력 시스템과 41,700lbs의 F117-PW-100 터보팬 엔진 4개를 장착한 C-17은 최대화물을 탑재한 상태로 2,317m의 활주로에서 이륙이 가능하며 길이 914m, 폭 18.5m의 활주로에 착륙 가능

4. 발전 동향

항공기 생산 후 미 공군 이외 도입 운영하고자 하는 국가가 없어 한때 생산 중단의 위기에 놓이기도 했으나, 영국, 호주, 캐나다 등(각 4대 구매, 영국 추가 구매)이 항공기를 도입하여 운용 중임.

C-130 수송기

1. 개   요

　　1956년에 양산되기 시작한 C-130 수송기는 미 공군의 주력 전술 수송기이며, 안정성과 임무능력을 인정받아 전 세계적으로 2006년 기준 2,262대가 생산되어 65개국에서 운용 중임.

2. 주요 제원 및 성능

구 분	내 용	구 분	내 용	구 분	내 용
전 장	97.75ft	기 폭	132.58ft	기 고	38.25ft
자 중	75,830lbs	최대이륙중량	175,000lbs	최대화물탑재량	43,300lbs
추 력	4,950lbsX4	화물실	길이 : 41.42ft 높이 : 9.25ft 폭 : 10.25ft		
최대순항속도	300knots	실용상승고도	33,000ft	항속거리	2,160NM
연료적재량	35,992L	최대상승률	1,900ft	제작국/제작사	미국/Lockheed사

3. 주요 특성

가. C-130H

- C-130H는 조종사와 부조종사, 항법사, 기내 정비사, 적재사 등 5명의 승무원이 탑승
- 155mm 곡사포, 또는 6대의 재급유 트레일러 등의 화물수송이나 62명의 완전무장 병력수송 가능
- 동체를 연장한 C-130H-30기는 80명의 완전무장 병력 수송 가능

나. C-130J

- 조종사, 부조종사, 적재사 등 3명의 승무원 탑승
- 조종석은 입체영상 전시가 가능한 4개의 하방시현 장비(HDD : head-down display)와 2개의 전방시현 장비(HUD : head-up display) 장착
- 고속투하능력 보유(250kts)

다. 탑재능력

- C-130H는 완전무장 병력 64명, CDS(Container Delivery System) 16개, 463L pallet 6개를 탑재할 수 있음

4. 발전 동향

- 수송기는 전투기에 비해 상대적으로 오래 사용할 수 있으나, 항공기 부품 및 탑재장비의 기술적 발전추세를 고려하여 수명연장 및 성능개량을 통해 항공기 사용 수명을 연장하는 추세임
- 미 공군은 노후화된 항공전자 계통에 대한 현대화 추진 중임(519대)
  - 사업 기간 : '04~'16년
  - 주요 개량 내용 : 항법 및 통신장비, 레이다, 비행통제 및 자동비행 장비, 자체방어장비 등

CN-235

1. 개 요

스페인의 CASA와 인도네시아의 IPTN(Industri Pesawat Terbang Nusantara)
이 1979년말 새로운 수송기 공동개발을 위한 계약을 체결하고 그 항공기
를 CN-235라고 명명함. CASA와 IPTN은 각각의 정부에서 8천만불의 개발
비를 지원받아 CN-235를 공동으로 개발한 동등한 동업자로서 1989년 CASA
에서 유럽과 북아메리카 시장을 확보하고 IPTN이 극동의 시장을 확보하는
데 동의를 하고 각자 판매에 나섬
* CN-235-100M : CASA 생산모델, CN-235-220M : IPTN 생산모델

2. 주요 제원 및 성능

구 분	내 용	구 분	내 용	구 분	내 용
전장	21.35m	기 폭	25.81m	기 고	8.18m
자중	8,600kg	최 대 이륙중량	15,760kg	최대탑재량	5,000kg
추력	1,305w x 2	화물실	길이 : 9.65m, 최대높이 : 1.90m 최대폭 : 2.70m		
순항 속도	452km/h	엔 진	GE CT7-9C 터보프롭 엔진	실용상승고도	7,602m
항속 거리	1,528km	최대 상승률	579m/min	제작국/제작사	CASA/ITPN

3. 주요 특성

가. 기 능

- CN-235 수송기는 어떤 악조건하에서도 운용상 최대의 융통성을 보장하고 운항상의 용이성을 구비함을 목표로 제작되었음
- 항공기에 탑재된 General Electric사의 CT7-9C 2축식 터보프롭 엔진은 최대출력이 1,750shp이나 2기의 엔진 중 한쪽이 고장났을 때는 최대 1,870shp까지 낼 수 있으며 자동 역추진 장치도 장비되어 있고 동급의 엔진으로서는 연료소모가 가장 적은 엔진임

나. 주요 탑재장비

- 자체보호용 RWR, CMDS를 장착하고 있음

다. 임무능력

- 화물실은 상황에 따라 다양한 임무를 수행할 수 있도록 장애물이 없는 완전 원통형 구조로써 병력 수송시는 기내 양측과 중앙에 접절식 의자를 설치하여 완전무장 병력 48명을 수송할 수 있으며, 부상자 후송시는 내부개조 없이 화물실 바닥에 보관하는 들것 21개를 1시간 내에 설치하여 4명의 의무요원과 함께 수송하고, 화물실 바닥의 레일에 고정해 설치하는 롤러 시스템은 6,000kg의 화물을 손쉽게 탑재할 수 있음

4. 발전 동향

해상초계 및 대잠수함 작전을 위한 CN-235 MPA기는 360도 전방향 탐지 가능한 APS-504 탐색 레이더와 Sky Guardian ESM장비, TICM Ⅱ 전방 적외선 감시장치 등을 탑재하며 날개 밑 6개소의 무장 장착대에는 AM39 엑소세(Exocet) 또는 펭귄(Penguin) 공대함 미사일 2기를 장착할 수 있으며, 수송임무 뿐만 아니라 다양한 임무를 위해 개조되고 있음.

E-3(Sentry)

1. 개 요

　　E-2C(Hawkeye)는 단순한 조기 경보기(AEW)로서 조기 경보기능이 미흡 (엔진은 쌍발 터보프롭 엔진)하였고 공군은 전투 및 분쟁지역에 대한 감시 능력과 항공기통제 기능이 더욱 필요하게 되었으며, 이러한 작전적 요구로 제공전투기 통제 및 지휘기능이 가능한 조기 경보통제기(AWACS)가 개발됨.

2. 주요 제원 및 성능

구 분	내 용
항공기 크기(m)	전폭 44.42 / 전장 46.61 / 전고 12.73
최대 이륙중량	150,820kg
최대 속도	853km/h
실용 상승한도	29,000ft
항속거리	3,218km
승무원	조종인원 4명 + 관제사 18명
초도비행	1975년 10월 31일(E-3A)

3. 주요 특성

가. 기 능

- E-3는 대형 레이돔을 탑재하기 위해 Boeing사의 707-320B를 개조하여 E-3A기를 만듦. 이 회전식 레이돔 직경은 9.14m, 최대 두께는 1.83m, 동체 윗면과의 간격은 3.35m로서 이 안에는 감시 레이더 안테나와 피아식별기(IFF) / 전술데이터 링크(TADIL-C) 안테나 등이 들어 있음.

- 레이돔은 레이더 동작시 회전수는 분당 6회전이며, 레이더를 작동하지 않을때도 분당 1/4회전 정도로 움직이고 있음.

- E-2C는 기본적으로 자료를 지상 지휘소로 보내주며 지상 지휘소에서 비행단, 방공부대로 정보가 전달되는 방식인데 비해, E-3는 요격기에 직접 표적자료를 보내 관제할 수 있음. 즉, 지상요격 관제센터와 같은 역할을 할 수 있어 공중 지휘통제소의 역할을 수행함.

나. 운용국가

- 1977년 미 공군에 처음 인도되어 33대를 NATO 18대, 사우디 아라비아 5대, 영국 7대, 프랑스 4대를 운용하고 있음.

다. 실전사례

- 걸프전 당시 미국은 11대의 E-3 AWACS를 전쟁지역에 파견하여 사우디아리비아가 보유하고 있는 5대의 AWACS와 함께 작전에 투입되어, 총 6개월 동안 825소티의 임무를 수행하였음.

4. 발전 동향

- E-3A 블록10 : 초도양산형, CC-1 컴퓨터 장착
- E-3A 블록15 : SPY-2/CC-2 컴퓨터 장착, 1대 생산
- E-3S 블록15 : SPY-2/CC-2 컴퓨터 장착, 통신기능 강화
- E-3B 블록20 : 블록 10 항공기에 콘솔 5대 추가
- E-3C 블록25 : 블록20 항공기에 콘솔 3개 추가, Have Quick 장비 장착
- E-3B/C 블록30/35 : JTIDS / ESM / GPS-INS 개량
- E-3D : 미군의 E-3A를 영국이 개량한 기종

E-737(AEW&C)

1. 개 요

B-737 항공기는 세계에서 가장 인기있고 신뢰성이 높은 제트 항공기로 세계 항공사로부터 3,300여대의 주문을 받아 2,700여대가 납품되어 운용되는 항공기임. 보잉사는 기존의 B-737-700 항공기를 기초로 다기능레이더 및 조기경보체계를 장착하여, E-737 조기 경보 통제기를 생산하였음.

2. 주요 제원 및 성능

구 분	내 용
항공기 크기(m)	전폭 34.3 / 전장 33.6 / 전고 12.5
최대 이륙중량	77,564kg
최대 속도	853km/h
실용 상승한도	41,000ft
항속거리	7,040km
엔진	CFM 인터네셔널 CFM-56-7B24 터보펜(27,000파운드)×2
승무원	조종인원 2명 + 관제사 10명
초도비행	2004년 5월 20일

3. 주요 특성

가. 기 능

- 탑재 레이더 종류 및 기능

  * MESA 레이더 : 전천후 360도 전방위 공대공/공대지 유도탄을 탐지/감시/통제, 특별 항적 지정 및 확대 기능, 고성능 ECCM 기능 보유 10kts 까지 탐지 가능하며, 41,000ft 까지 운용가능, 타 임무와 연동 가능, 최신 기법으로 소프트웨어 추가 개선 가능

  * 감시 레이더 : 전천후 기상탐지, 클러터 및 지상 반사파 제거, 재밍 감시(공중 모드 : 전투기, 미사일, 헬기콥터 탐지. 해상 모드 : 고속정, 호위함 탐지)

나. 통신 체계

- 내부통신 : 6개 콘솔, 2개 FLT Deck
- HF(3개) : Clear Voice, Secure Voice, Have Quick
- VHF/ UHF(10개) : 11-16 채널 Link

다. 운용국가

- 미국, 호주, 터기, 한국(예정)

F-4 전투기

1. 개   요

    M.D(McDonnell Douglas)사는 1953년 단좌의 장거리 공격용 전투기 예비설계를 시작하여 1954년 8월 해군에 의해 2대의 시제기 제작이 발주되었으며, 강력한 레이더와 3시간 이상의 항속 능력을 갖춘 시 제기가 F-4A 시제기 탄생함.(1958년 3월 첫 비행 실시 / F-4E 타입은 1967년 8월부터 생산 시작)

2. 주요 제원 및 성능(F-4E 기준)

구 분		내 용	구 분	내 용
항공기 크기(FT)		16.5×63.0×38.6	기 총	20mm×639발
중 량	최대이륙	61,795 lbs	최대속도	M 2.0
	최대무장	16,000 lbs	최대 G	7.3G
엔 진	모 델	J79-GE-17	최대 항속거리	1,718 nm
	추력(MIL)	1×11,870 lbs	이착륙거리	3,100/3,500 ft
	추력(MAX)	2×17,900 lbs	무장장착대	8 POINT
레이더 TYPE		AN/APQ-120	최대 상승고도	55,000 ft

3. 주요 특성

가. 기 능

- F-4 항공기의 동체는 상당히 넓어 내부에 최대 7,022리터의 연료를 적재할 수 있음.
- 저익 구조로 설계된 주익은 거의 삼각형 테이퍼 형태이며, 주익의 중앙 외측은 상반각이 큰 독특한 형태임.
- 주익의 내측은 연료탱크로 사용되며, 외측은 접히도록 설계되어 함상 또는 지상에서 적재공간을 적게 차지하도록 설계됨.

나. 기 술

- 탑재 항전장비로는 APQ-120 화력레이더, 적외선 전방탐지장비, AJB-7 전고도 폭탄투하장비, ASG-26 사격조준장비 및 페이브 계열 레이져 폭탄조사기 등 공격용 장비 탑재
- 항법장비로는 관성항법장비(INS), APN-155 레이더고도계, 자동비행 조종장치 등 구비

다. 무장 장착능력

- AIM-7, 스패로우, 스카이 플래시, 또는 AIM-120 AMRAAM 중거리 미사일과 AIM-9 사이드 와인더 단거리 공대공 미사일 장착 가능
- 공대지 미사일로는 매브릭 및 페이브 계열 미사일 등 운용

4. 운용 현황

- 1960년 실전 배치이후 1987년 생산이 종료시까지 약 5,200여대가 생산됨.
- 최초 생산후 30년이 지났지만, F-4는 3시간 이상의 항속능력, 양호한 기동성 및 탁월한 공대공 및 공대지 무장능력으로 오늘날에도 다목적 전투기로 탁월한 성능을 발휘하고 있음.

EA-6B 전자교란기(Prowler)

1. 개 요

긴 행동반경과 합성 개구레이더(SAR)를 이용한 우수한 저고도 비행능력을 가진 A-6(Intruder)를 기반으로 한 미국의 전자교란과 대공제압 임무를 수행하는 항공기

* 항공기 형상
- EA-6A 프레임 재설계 없이 A-6에 전자전장비 탑재(승무원 2명)
- EA-6B 프레임 재설계(승무원 4명)

* 추진현황
- 1963. 2 : A-6A로 VA-42 훈련대대에서 첫 임무 수행
- 1966 : EA-6B 개발 계약 체결(Northrop Grumman)
- 1968. 5 : 초도비행 실시
- 1971. 1 : 12대 중 첫 항공기 군에 인도
- 1991. 7 : 170대 중 최종 항공기 군에 인도

2. 주요 제원 및 성능

구 분		내 용	구 분	내 용
항공기 크기(FT)		25.8×59.8×16.3	최대속도	530Kts
중 량	최대이륙	65,000 lbs	순항속도	418Kts
	최대무장	18,000 lbs	최대상승고도	38,000Ft
엔 진	모 델	J52-P408A	최대 항속거리	955NM
	추력	2×11,200 lbs	이착륙거리	2,670/2,150FT
전자교란 POD		AN/ALQ-99	최대상승률	10,030Ft/Min
레이더 TYPE		AN/APS-130	실속속도(Flap down)	84Kts

* 최대성능은 ECM POD 5개 장착 기준임

3. 주요 특성

가. 기 능

- AN/ALQ-92 통신 방해 시스템과 AN/ALQ-149 통신 /지휘교란 시스템을 탑재하여 적의 통신과 지휘 교란 작전 가능

- 적 레이더를 교란하기 위한 시스템으로 AN/ALQ-99과 연동되어 있는 AN/ALQ-126 기만 /교란 시스템을 탑재

- 적 지대공 미사일 등으로부터 자신을 방어하기 위한 자체방어시스템으로 AN/ALQ-165 ASPJ 전자 교란 시스템과 AN/APR-27 지대공 미사일 발사경보 시스템, N/ALE-29/31/4 채프 /플레어 발사기, AN/ALR-67 디지털 위협 경보 시스템 등이 탑재

- AN/ALR-67 위협 경보 시스템은 위험신호를 디지털 신호로 수신하여 자체 방어용 교란 시스템이 교란신호를 생성할 수 있도록 지원

- 각종 수신시스템을 통해 수집한 신호는 AN/ALH-30 신호 정보수집시스템에 기록

- AGM-88 HARM의 탑재가 가능해 수집한 신호정보와 표적데이터를 바탕으로 적 지대공미사일 레이더 시스템 파괴가 가능

- 전방 우측 조종사는 통신/항법/ECM/CHAFF 작동, 후방석 2명의 전자 교란 담당장교는 AN/ALQ-99 POD 작동을 담당

나. 기 술

- AN/ALQ-99 POD로 전자교란, 전자정보 정찰, 통신 재밍을 실시하고, HARM에 의한 레이더 공격을 통해 적 지대공 위협을 무력화함으로서 아군 전력 보호

- AN/ALQ-99 POD는 1개의 POD로 2개의 Band를 조합하여 활용

다. 장착능력

- AN/ALQ-99는 동체하부 및 주익하부에 3~5기 장착 가능하며, 임무의 특성과 예상되는 위협에 따라 POD를 장착함.
- 4발의 HARM을 장착할 수 있음
- 임무 및 위협에 따라 POD, 외부연료 Tank, HARM의 장착수량을 조절함.

4. 발전 동향

- EA-6B는 EF-111 퇴역 이후 전자교란용 고기동 항공기를 운용하지 않는 미 공군의 지원 임무도 수행하므로 1995년 이후 활용도가 높아져 기체 피로도가 누적된 상태임.

- FA-18E/F Growler의 배치와 동시에 퇴역이 진행될 예정이나, 미 해군은 2012년까지 전력공백을 예상하고 ICAP III upgrade 항공기를 증가시키는 방안을 고려하고 있음.

F-5 전투기

1. 개   요

    1955년 노스롭사는 미국정부의 아시아 및 유럽 등 우방국의 고성능 전투기 제공 요구에 부응하기 위하여 자체적으로 저가의 고성능 경량 전투기 개발 시작하여, 1956년 미 공군 및 해군은 이 설계안을 기초로 한 훈련기에 관심을 표명함으로써, 전투기와 병행 하여 Talon으로 명명된 T-38 훈련기를 개발함. 1987년 초 F-5의 생산은 종결, F-5/T-38 계열은 총 3,800여대가 생산되어 30여개국에서 운용함.

2. 주요 제원 및 성능

구 분		내 용	구 분	내 용
항공기 크기(FT)		13.3×47.4×26.7	기 총	20mm×560발
중량	최대이륙	24,722 lbs	최대속도	M 1.6
	최대무장	7,000 lbs	최대 G	7.3G
엔진	모 델	J85-GE-21B	최대 항속거리	1,545 nm
	추력(MIL)	1×3,250 lbs	이착륙거리	2,300/2,320 ft
	추력(MAX)	2×5,000 lbs	무장장착대	7 POINT
레이더 TYPE		AN/APQ-153	최대 상승고도	51,800 ft

3. 주요 특성

가. 기 능

- F-5E는 저가의 경 전투기로 방공임무에 적합하도록 설계
- 동체는 알루미늄 경합금 구조로 기동성에 중점을 두고 설계

나. 기 술

- 주요 항전장비로는 APQ-153/159 펄스레이더, ASG-31 사격 조준장비 및 APX-101 적.아 식별장비 등을 탑재함.

다. 무장 장착능력

- 기수에 M39A2 기총 20mm 2문 장착(복좌는 기총 1문 장착)
- AIM-9 사이드와인더 단거리 공대공 미사일, 듀란달, CBU-24, CBU-58, MK-84 등 공대지 폭탄 장착이 가능함.

4. 운용 현황

- 한국은 F-5A/B 100여 대, F-5E/F 약 200여대를 도입, 운용 하였으나, F-5A/B는 도태되었음.
- F-5E/F 항공기는 항공장비의 성능개량 계획을 추진하여, 2010년대 후반까지 운용 예정임.

F-15K 전투기

1. 개 요

F-15K는 고도의 성공률을 자랑하며, 전투에서 입증된 미 공군 F-15E의 최신 변형기종 임.

* 항공기 Type 및 운용국가
- F-15E : 미국, F-15J : 일본, F-15I : 이스라엘,
- F-15S : 사우디아라비아, F-15K : 한국, F-15SG : 싱가포르

2. 주요 제원 및 성능

구 분		내 용	구 분	내 용
항공기 크기(FT)		18.8×63.9×42.1	기 총(공군형)	20mm×512발
중량	최대이륙	81,000 lbs	최대속도	M 2.3
	최대무장	24,500 lbs	최대 G	9G
엔진	모 델	F100-GE-129	최대 항속거리	2,400NM
	추력(MIL)	2×17,155 lbs	이착륙거리	1,500/4,200FT
	추력(MAX)	2×29,570 lbs	무장장착대	23 POINT
레이더 TYPE		AN/APG-63(V)1	주요장착장비	JHMCS, FLIR, IRST

3. 주요 특성

가. 기 능

- 전천후 제공 및 대지 공격의 2중 임무 전투기로서, 공대공 전투능력 뿐 아니라 주·야간 장거리 후방차단 등 고도의 대지공격 능력 보유

나. 기 술

- 헬멧 자동 조준장치(JHMCS : Joint Helmet Mounted Cueing System) 장착 : 조종사 헬멧에 장착된 시현장치와 자기 추적장치를 결합시켜 조종사의 시선이 주시하고 있는 표적을 미사일이 자동적으로 추적할 수 있게 하는 기술임.

다. 장착능력

- GPS 이용 주·야간 전천후 공격 가능한 JDAM 장착 운용
- 장거리 공대지 공격이 가능한 SLAM-ER 및 공대함 공격용 미사일 AGM-84L 장착
- JHMCS와 연동하여 운용 가능한 AIM-9X 장착

4. 발전 동향

- 미 공군은 현재 F-15E를 2030년 이후까지 운용할 계획이며, 그 우수성을 유지하기 위하여 기술 장착, 시스템 업그레이드 등을 계속 진행시킬 예정임.
- 보잉사는 현재 미 공군용 F-15E를 생산 중이며, 싱가폴 F-15SG를 계약하여 생산 단계에 있음.

F-16 전투기

1. 개 요

미국 공군은 전통적으로 F-4 및 F-15, 해군은 F-14와 같은 대형 중량 전투기를 주력기로 선호하여 왔으나, 1970년대 초 월남전의 장기화에 따른 전비 부담의 증가로 국방비에 큰 타격을 받고 있었으며, 기동성이 경쾌한 MiG기에 대항하기 위한 공대공 경량전투기의 개발 필요성 대두되어 G.D社는 1975년 1월 F-16A Fighting Falcon 개발을 시작하여 고성능의 사격통제 장치와 대지공격 능력을 겸비한 다목적 전투기로 탄생됨.

2. 주요 제원 및 성능

구 분		내 용	구 분	내 용
항공기 크기(FT)		16.6×49.3×32.81	기 총	20mm×511발
중량	최대이륙	37,500 lbs	최대속도	M 2.0
	최대무장	15,200 lbs	최대 G	9G
엔진	모 델	F100-PW-220	최대 항속거리	2,100NM
	추력(MIL)	1×15,000 lbs	이착륙거리	2,500/3,500FT
	추력(MAX)	1×25,000 lbs	무장장착대	9 POINT
레이더 TYPE		AN/APG-68(V)2	주요장착장비	UHF/VHF, Have Quick II

3. 주요 특성

가. 기 능

- F-16은 제공 및 대지공격 능력을 가자는 소형 경량의 다목적 전투기로 개발되었으며, 주익과 동체의 연결은 blended -wing-body 구조로서 표면적을 적게 하여 공기저항을 줄이면서 기내 용적을 크게 하도록 설계하여 동체의 길이를 10% 감소, 중량은 750lbs 정도 경감, 항속거리 60%를 향상시킴.

나. 기 술

- 조종석은 캐노피가 돌출형으로 설계되어 시계가 양호하며, 수평으로 360도 전방향, 기수 앞쪽으로는 15도 밑까지, 측면 좌우 아래로는 30도까지 아주 넓은 시계를 학보함.

- 좌석은 30도 가량 경사가 지도록 장착됨으로써 조종사는 9G까지 높은 기동에서도 견딜 수 있도록 설계되었으며, Mach 0.9에서 Mach 1.6까지 가속시간 70초로 F-15 전투기의 60초에 버금가는 성능을 구비함.

- APG-68 펄스 도플러 레이더가 장착되어 공대공 모드에서 거리, 방향, 속도 탐지 기능 및 10개의 목표물에 대해 동시 추적능력을 구비하고 있음.

다. 장착능력

- AIM-9J/L/M 사이드 와인더, 매직 2 및 스카이 플래시 장착 가능
- GBU-12, GBU-10/24, AGM-65(D,G) 장착 운용

4. 발전 동향

F-16E/F는 아랍에미리트에서 80여대를 도입, 운용 중에 있으며, 이 항공기의 특징은 조종석 내부에 5×7인치 대형 컬러 디스플레이 3대, HUD와 DASH-Ⅳ 헬멧조준장치를 구비하고 있음. 또한, APG-80 AESA 레이더를 장착하여 4.5세대급의 항공기로 탄생하였음.

EA-18G 전자교란기(Growler)

1. 개 요

　　미 해군의 EA-6B를 대체할 목적으로 FA-18을 바탕으로 Boeing社에서 개발된 전자교란기로 전자교란과 대공제압 임무를 수행하는 항공기. EA-18G는 미 해군의 기본형 전자교란기로 2009년 부터 최초 작전에 투입됨.

2. 주요 제원 및 성능

구 분		내 용	구 분		내 용
항공기 크기(FT)		44.88×60.3×16.0	레이더 TYPE		AN/APG-79
중 량	최대이륙	66,000 lbs	최대속도		M 1.6
	최대무장	19,910 lbs	최대상승고도		50,000Ft
엔 진	모 델	F-414GE-400	항속 거리	2xAIM-9	1,275NM
	추력(MAX)	2×22,000 lbs		2xAIM-9 3xTank	1,660NM
전자교란 POD		AN/ALQ-99			

3. 주요 특성

가. 기 능

- EA-18G Block I : AN/APG-79 AESA 레이더, AN/ALQ-99 레이더 재밍 POD, AN/ALQ-218 수신기, AN/ALQ-227 통신방해장비, 자체방어를 위한 AIM-120 공대공 중거리 미사일, 레이더 공격을 위한 AGM-88 HARM 장착

- 통신시스템 간 신호를 수신할 수 있는 시스템을 보유하고 있어 감청 및 적 항공기의 통신방해, 통신시스템에 대한 교란 가능

나. 기 술

- AN/APG-79 AESA 레이더는 높은 안테나 이득과 미세신호 감지능력, 우수한 빔 편향성 등의 장점 덕분에 적 전투기 RWR에 낮은 피탐성을 갖고 있으며, 높은 지향성 덕분에 적 전투기와 조기 경보통제 레이더에 대한 교란과 전자적인 공격이 가능함.

- 간섭 제거 시스템이 탑재되어 전자교란 중에도 통신 가능

다. 장착능력

- EA-18G Block I 무장 장착은 AIM-120 중거리 공대공 미사일 2발, 480갤런 외부연료 Tank 2개, AN/ALQ-99 POD 3개, HARM 2발, AN/ALQ-218 POD 2개 등을 장착할 수 있으며, 제한된 범위내에서 AN/ALQ-99 POD, 외부연료 Tank, HARM은 필요에 따라 교체 장착 가능

4. 발전 동향

EA-18G Block II : AN/APG-79 AESA 레이더에 재밍능력 구비, ALE-47 CMDS 디지털 레이더 경고 시스템과 연동된 AN/ALQ -218(V)2 수신기, AGM-154 JSOW 장착 등 Upgrade 예정

EF-2000 전투기

1. 개 요

　　유로파이터 타이푼은 영국, 독일, 이탈리아, 스페인이 공동으로 개발한 유럽 공동의 21세기 전투기로서, 1994년 3월에 최초 비행을 실시한 EF-2000은 공대공 전투 위주의 공중우세 전투기이며, 2차적으로는 공대지 공격능력도 보유함(2003년 2월, 생산기 초도비행)

2. 주요 제원 및 성능

구　분		내　　용	구　분	내　　용
항공기 크기(FT)		17.4×52.4×37.0	기　총	27mm×150발
중 량	최대이륙	52,000 lbs	최대속도	M 2.0
	최대무장	16,500 lbs	최대 G	9G
엔 진	모 델	EJ 200	최대 항속거리	2,100NM
	추력(MIL)	2×13,490 lbs	이착륙거리	1,000/3,500FT
	추력(MAX)	2×20,250 lbs	무장 장착대	13 POINT
레이더 TYPE		ECR 90	최대 상승고도	65,000 ft

3. 주요 특성

가. 기 능

- 기체의 외형은 앞전후퇴각 53도인 델타주익에 카나드를 조합한 복합 델타형식이며, 동체 아래에 배치한 2차 원형 공기 흡입구가 특징임
- 기체의 조종은 카나드와 주익의 플래퍼론, 앞전 슬레이트와 수직 미익의 러더를 통해 디지털 FLY-BY-WIRE로 제어함

나. 기 술

- 경량화를 위해 주익과 안쪽 플래퍼론, 수직 미익과 러더, 동체의 각 부에 탄소섬유 복합재료를 사용

다. 장착능력

- 동체 아랫면에 4발의 중거리 공대공 미사일을 장착함
- 새롭게 설계된 조종석은 특히 조종사의 조작량을 현저히 감소시킬 수 있도록 고안되어, 세 개의 다기능 컬러 시현기 상부에 각도가 넓은 전방시현 장비(HUD)를 장착함으로써 안전하고 효율적인 상태로 비행을 유지하면서도 원하는 표적을 탐색, 식별 및 공격이 가능함

4. 발전 동향

- 유로파이터는 개발 4국이 620대를 도입할 예정임
- 변형 및 파생 추진형인 블록 5는 공대공 및 공대지 능력이 완전통합된 모델로 센서퓨전, DASS 등을 완비하여 AMRAAM, ASRAAM, IRIS-T, 페이브웨이 II 등의 무장 운용이 가능함

F/A-18E/F 전투기

1. 개 요

방공 및 대지공격 겸용의 다목적 전투기로 제작되었으며, 미 해군 및 해병대의 F-4 Phantom 전투기와 A-7 Corsair 공격기를 대체하고 미 해군의 주력 방공전투기로 운용, 1976년 1월 해군으로부터 본격 개발기 11대를 포함하여 800대의 생산을 주문받았으며, 1978년 11월 최초비행 성공함. 1980년 11월에는 전환훈련 부대에 배치되었고, 1982년 항공모함 실용시험이 이루어진 후 1983년 1월 미 해군에 실전 배치됨.

2. 주요 제원 및 성능

구 분		내 용	구 분	내 용
항공기 크기(FT)		16.0×60.3×44.9	기 총	20mm×400발
중 량	최대이륙	66,000 lbs	최대속도	M 1.6
	최대무장	17,700 lbs	최대 G	9G
엔 진	모 델	F404-GE-402	최대 항속거리	2,100NM
	추력(MIL)	1×15,000 lbs	이착륙거리	2,500/3,500 ft
	추력(MAX)	1×25,000 lbs	무장 장착대	11 POINT
레이더 TYPE		AN/APG-79 AESA	최대상승 고도	50,000 ft

3. 주요 특성

가. 기 능

- 탐지거리가 80nm인 공대공·공대지 겸용의 AGM-65 펄스 도플러 레이더를 장착하였으며, 동체 양옆에 적외선 전방탐지 장비 포드를 장착하여 야간공격 능력이 향상됨.

나. 기 술

- F/A-18E/F은 전천후 공대공 전투 및 공대지 공격의 다목적 전투기로서 최대속도 보다는 천음속 영역에서의 가속성과 선회율 향상 및 큰 받음각에서의 기동시 안정성에 중점을 두고 설계됨
- 조종계통은 디지털 FLY-BY-WIRE 방식을 채택하고 있으며, 조종석은 복잡한 전천후 상황에서의 방공 및 대지공격 임무를 조종사 1명이 완전히 처리할 수 있도록 단순하고 효율적으로 설계됨

다. 장착능력

- AIM-9J, AIM-7F 스패로우, AMRAAM 공대공 미사일과 AGM-65G, AGM-88 HARM, AGM-84 하푼, GBU-12 등 공대지 폭탄을 운용

4. 발전 동향

- F/A-18은 F-16과 마찬가지로 소형, 경량, 다목적 및 저가격화를 목표로 개발된 항공기로써 미 해군의 F-4 전투기 및 A-7 공격기를 대체하여 1980년 5월부터 운용됨
- 현재 미 해군 및 해병대 1,039대를 비롯하여 기타 8개국에서 1,478대가 인도 및 운용. 한편 1991년부터 개발을 시작한 F/A-18E/F는 2015년까지 1,000대 이상을 인도 예정임

F-22 전투기

1. 개 요

    미 공군은 21세기 구소련 공군 및 지역분쟁의 위협에 대해 공대공 및 공대지 우세를 유지하기 위하여 F-15를 대체할 차세대 제공전투기(ATF: Advanced Tactical Fighter)의 개발에 대한 개념을 연구하여 1983년 착수함. 스텔스, 초음속 순항 및 고 기동성이 우수한 F-22 Raptor 개발 2005년 12월 전력화됨.

2. 주요 제원 및 성능

구 분		내 용	구 분	내 용
항공기 크기(FT)		16.4×67.1×44.5	기 총(공군형)	20mm×480발
중 량	최대이륙	70,000 lbs	최대속도	M 2.5
	최대무장	25,000 lbs	최대 G	9G
엔 진	모 델	F-119-PW-100 (추력편향장치 구비)	최대 항속거리	3,000NM
	추력(MIL)	2×20,000 lbs	이착륙거리(공군형)	2,000/3,000FT
	추력(MAX)	2×35,000 lbs	무장장착대(내/외부)	8/4 POINT
레이더 TYPE		AN/APG-77	무장장착량(내/외부)	5,000/20,000 lbs

3. 주요 특성

가. 기 능

- 2,200여개의 모듈로 구성된 AN/APG-79 AESA 레이더 장착
- 스텔스 기술에 의한 낮은 레이더 피탐지율과 높은 기동성 및 민첩성 구비하고 있으며, 후기연소기 사용없이 초음속 순항능력(Mach 1.58) 보유함

나. 기 술

- 생존성 향상을 위해 레이더와 IR, 육안 탐지율을 최소화하기 위한 스텔스 기술을 적용(RCS 0.0001㎡)하고 있으며, 전체 기체의 30~40%를 열 경화성 복합소재로 제작함

다. 장착능력

- 탑재무장은 기수에 M61A1 20mm 기총 1문 장착
- 동체측면 격실에 AIM-9 사이드와인더 미사일 4기, 동체하부 격실에 AIM-120 AMRAAM 4기를 장착 가능
- 대지 공격용으로 JDAM, WCMD, AGM-88 HARM, GBU-22 페이브웨이 3, LOCAAS, SDB 등 다양한 폭탄 적재 가능

4. 발전 동향

- F-22는 Block 개념에 따라 발전하고 있는데, F-22 Block 10은 2003년부터 2005년까지 초도 생산된 기본형 기체로 2005년 배치됨.
- F-22 Block 20형은 미 공군의 범지구적 타격 개념에 의해 JDAM과 소직경탄 무장을 운용할 수 있는 공대지 작전능력 강화형으로 2005년부터 2008년까지 배치됨.
- F-22 Block 30형은 대공제압 능력 향상형으로 적 대공 무기체계를 추적하고 파괴할 수 있는 능력이 추가될 계획임.
- F-22 Block 40형은 완전한 네트워크 능력과 항속거리 연장, 통합 정보/감시/정찰 능력 확보를 목표로 하고 있음.

F-35 전투기

1. 개 요

미국을 비롯한 영국, 이탈리아, 네덜란드 등 9개국이 현 전투기/공격기를 대체 및 보완할 차세대 항공기로 다목적 첨단 전투기 F-35 개발 추진하여, 미국(2,443대), 기타 국가(722대) 등 총 3,165대를 생산 예정임

2. 주요 제원 및 성능

구 분		내 용	구 분	내 용
항공기 크기(FT)		15.0×51.1×35.0	기 총(공군형)	25mm×180발
중량	최대이륙	60,000 lbs	최대속도	M 1.6
	최대무장	21,000 lbs	최대 G	9G
엔진	모 델	F-135	최대 항속거리	1,200NM
	추력(MIL)	1×20,000 lbs	이착륙거리(공군형)	3,700/5,100FT
	추력(MAX)	1×40,000 lbs	무장장착대(내/외부)	7/4 POINT
레이더 TYPE		AN/APG-81	무장장착량(내/외부)	5,700/15,000 lbs

3. 주요 특성

가. 기 능

- 1,200여개의 모듈로 구성된 AN/APG-81 AESA 레이더 장착
- 6개의 IR 센서로 구성된 데이터 획득장치 DAS(Data Acquisition System)와 고성능·경량의 다기능 정밀 표적획득 및 추적체계인 내장형 EOTS를 장착하여 모든 방향에서 생성되는 IR의 탐지 및 추적 가능하고, 접근하는 미사일이나 공중 목표물에 대한 정확한 식별 및 위치 파악 가능

나. 기 술

- 생존성 향상을 위해 레이더와 IR, 육안 탐지율을 최소화하기 위한 스텔스 기술을 적용함

다. 장착능력

- 동체의 양옆에 위치한 내부 무기고에 JDAM과 AIM-120 AMRAAM을 각각 1발씩 장착 가능
- F-35A, C형은 내부 무기고에 2,000 lbs급 폭탄까지 장착이 가능하며, F-35B는 단거리 이륙 및 수직 착륙 기능으로 인해 1,000 lbs급 폭탄까지 장착 가능
- 외부 무장은 4개의 파일론(Pylon)이 부착되어 Inboard 파일론에는 5,000 lbs 까지, Outboard 파일론에는 2,500 lbs 까지 장착 가능

4. 발전 동향

- F-35 Block 2 표준형은 Block 1의 무장에 향상된 공대공 및 공대지 무장 운용 능력을 추가하여 대공제압(SEAD), 근접항공지원(CAS), 항공차단(AI) 임무수행 능력을 갖출 예정임.
- F-35 Block 3형은 종심타격 임무수행이 가능하도록 공대공 및 공대지 무장을 더욱 추가 계획임. 향후 F-35 항공기에는 레이져 무기가 장착될 계획이며, 레이져 무기 실용화는 2015년 이후에 가능 할 것으로 예상

FA-50 전투기

1. 개   요

   대한민국은 KT-1 개발에 이어 항공산업 육성 목적으로 초음속기 개발 추진, 초기부터 KTX-2는 훈련기 및 경공격기로 개발됨. 개념 설계에 의해 초음속 고등훈련기 T-50과 기종전환 훈련기 및 경공격기로서의 기능을 보유한 A-50 개발 추진함.

2. 주요 제원 및 성능

구 분		내 용	구 분	내 용
항공기 크기(FT)		16.2×31.0×29.8	기 총	20mm×205발
중 량	최대이륙	29,700 lbs	최대속도	M 1.5
	최대무장	10,500 lbs	최대 G	8G
엔 진	모 델	F404-GE-102	최대 항속거리	1,400NM
	추력(MIL)	1×11,950 lbs	이착륙거리	1,130/2,320FT
	추력(MAX)	1×17,700 lbs	무장장착대	7 POINT
레이더 TYPE		AN/APG-67(V)4(잠정)	주요장착장비	CMDS, LINK-16, NVIS

3. 주요 특성

가. 기 능

- 기존 T-50 훈련기에 AESA 레이더(예정), WCMD, JDAM, 링크-16, CMDS, NVIS을 개조하여 경 공격기로 활용

나. 기 술

- FA-50의 항전장비의 사양은 아직 미정
- 최신 정밀 무장운용을 위해 MIL-STD-1760 데이터버스 탑재.

다. 무장 장착능력

- AIM-9J/L/M 사이드 와인더 공대공 미사일 장착 가능
- MK-82, AGM-65 매브릭, JDAM, WCMD 공대지 무장 장착 가능

4. 발전 동향

FA-50 전투기는 추후 항전장비의 개발 및 탑재, 임무 컴퓨터 성능개량을 통해 무장 운용 능력 다양화 추진 중임

HH-32 (Kamov)

1. 개   요

　　KA-32A는 Nato명은 Helix-C로서 최초 해 상용인 C형과 육상용인 T형
이 제작되어 해상 인명구조 및 산불진화에 투입되었으며, 항공기 성능을
인정받아 A형은 '93년 이후 탐색구조용으로 개조 판매 됨. 개조 판매된 A
형은 캐나다, 스위스 등에서 산악 및 해상 구조용으로 운용중이며, 전 세
계적으로 170 여대가 운용중임. 우리나라도 산림청과 해양경찰 등에서 수
색, 구난, 산불진화 등을 위해 쓰이고 있으며, 공군에서는 탐색구조용으로
HH-32A를 운용중임.

* 추진현황

- 1969년	개발 시작
- 1973년	시제기 제작
- 1980년 10월	시제기 최초 비행
- 1986년 6월	파리 에어쇼에 일반공개
- 1995년	모스크바 에어쇼에 군용 항공기로 전시

2. 주요 제원 및 성능

구 분		HH-32A	Ka-32C	Ka-32T
성 / 능	용 도	탐색구조용	해 상 용	육 상 용
	개 발 연 도	1993	1987	1987
	기장m×기폭m ×기고m	15.9×3.8×5.4		
	최대이륙중량	12,700kg		
	순항속도(최대)	113 Kts (140)		
	최대체공시간 (보조연료)	4+30 (6+25)		
	최대항속거리 (보조연료)	432 NM (612)		
	탑승인원(구조)	18 (13)	18 (12)	18 (12)
	화재 진화용액 운반용량	800~900G/L	650~700G/L	800G/L
	외부 인양능력	5,000kg	4,600kg	5,000kg
	비상 부유장치	장·탈착 가능	장착	미 장착

3. 주요특성

- KA-32는 독특한 2중 반전 로터(회전날개)를 가진 헬기이다. 이것은 꼬리에 로터가 없고 주로터가 아래위 2중으로 되어있음. 위아래의 로터는 반대 방향으로 움직이는데, 이것은 로터가 하나뿐일 때 로터의 회전력으로 인해 헬기 몸통까지 빙글빙글 도는 것을 꼬리 로터 없이막기 위한 것임.

- 이 방식은 대형 로터가 둘이나 되므로 상승력과 정지비행(호버링) 능력은 물론 운동성도 좋지만, 무게가 늘고 힘의 낭비가 심한데다 높이가 상당히 높다는 단점도 있음. KA-32는 다른 러시아 헬기들처럼 힘은 좋지만 경제적이지 못함. 비슷한 서방제 헬기들보다 기름을 1.5배나 더 먹고, 보통 서방제 헬기들이 1800~2000시간 쓰고 부품을 바꾸는 반면 KA-32는

수백시간 단위로 부품을 점검해야 하는데다 모듈단위로 부품을 교체해야 함. 사실 이것은 이것의 기초가 된 KA-29가 기름이 풍부한 러시아에서, 그것도 경제관념이 부족하던 공산주의 시대에 개발되어 운용비를 줄일 생각도 없이 만들었기 때문임.

- 헬기의 힘은 매우 좋아서, 미국제 벨206 헬기(최근까지 산림청의 주력 소방헬기)가 3드럼 분량의 물을 실어 나르는게 고작이지만 KA-32는 17드럼(3400리터)의 물을 담을 수 있음. 또 강한 바람에도 강 해 다른 헬기들이 진화에 애를 먹던 수년전의 고성 산불에서도 KA-32는 끄떡없음. 게다가 바다에서 구조작업을 하려면 센 바람을 맞아도 끄떡없이 그 자리에 오래 떠있는 호버링 능력이 중요한데, 해경에서 운용하던 미국제 벨410 헬기가 못 뜨는 악천후 속에서도 KA-32는 이륙해서 동시에 12명을 구조한 사례도 있으며 지난 5월의 한일 합동 대테러 시범에서도 초속 15M의 강풍 속에서 거의 흔들리지도 않고 특수부대를 투입하기도 함.

HH-47 (Chinook)

1. 개 요

　　HH-47(Chinook)는 1950년대 중반 미 육군은 다양한 전장이동 임무를
수행하기 위하여 대량의 무장병력 침투 및 수송, 부상병 후송, 주요 장비
및 군수품 이동/투하 능력을 구비한 헬기의 필요성에 의하여 개발됨.

* 추진현황

- 1976년　　　　　프로그램 시작
- 1979년 5월　　　최초 비행
- 1980년 10월　　첫 주문
- 1982년 2월　　　생산 항공기 최초 비행
- 1982년 3월　　　첫 인도(미국)

2. 주요 제원 및 성능(CH-47SD)

구　분		내　　용	구　분	내　　　용	구　분	내　　용
크기	길이	15.9m	무　장	기관총 3개	엔 진	4,075마력×2
	높이	5.68m			최대속도	287km/h
무　게		24,493kg	로터 직경	18.29m	항속거리	1,208km

3. 주요 특성

- 두개의 엔진을 가진 CH-47 씨누크(Chinook)는 독특한 텐덤형식으로 배치된 3엽의 반전식 로터에 의해 추진되는 헬리콥터로 주·야간 시계 및 계기에 의한 조종으로 물자 수송, 병력의 수송을 할 수 있는 기체로 씨누크의 길이는 대략 50피트(약 15미터)정도이며, 60피트 길이의 로터의 회전시 전장은 대략 100피트 (30미터)에 달함.

- CH-47D의 경우 최고속도는 약 315km이며, 순항속도는 약 240km 정도로 되어 있지만, 최고속도는 화물의 종류, 화물의 양, 기상조건, 주간/야간에 따라서 많이 달라질 수 있음.

- CH-47 씨누크에는 단순 수송시 최소한 4명(조종사, 부조종사, 비행 엔지니어, 비행장)이 탑승하며, 이것 역시 공중강습 등의 복잡한 임무를 수행할 경우에는 더욱 증가될 수 있음.

- 보잉 버톨(Boeing Vertol, 모델 114/414) CH-47의 개발은 1956년부터 시작되었으며, 지속적인 개량계획에 의해 CH-47A, CH-47B, CH-47C, CH-47D 등으로 개량되어 왔음.

- 따라서 각 기종과 연료탱크의 탑재 형식, 비행거리, 기상상태 등에 따라서 최대 수송능력은 크게 차이가 남.

4. 계열화 기종

가. CH-47A

- CH-47A는 1962년 베트남전에서의 사용을 위해 최초로 공급된 기종으로 두개의 텐덤식으로 배열된 메인 로터를 가진 중형 수송 헬리콥터임.

- 씨누크의 기본 임무는 포병장비, 탄약, 병력의 수송 및 전장지역으로의 공수이지만, 이밖에도 구조, 부상병 수송, 공정대의 낙하산 투하, 항공기 구난, 특수작전 임무 등의 수행에도 활용됨.

- 1958년 6월 25일 미 육군은 미 육군의 중형 수송 헬리콥터 획득을

위한 GMP(General Management Proposal)를 제기하였으며, 미 육군의 신형 중형 수송 헬리콥터로써 YCH-1B를 제작하기 위해 5개의 기종이 선정됨.

- 1962년 7월 DoD는 모든 미 육군의 항공기에 대해 미군이 보유한 항공기의 일괄적인 분류명칭 부여작업에 따라 YCH-1B는 CH-47A로 재명명됨.

- 1963년에 제 11 공중강습사단에서 사용된 초기 제작분의 CH-47A는 그 해 10월에 공식적으로 미 육군 규격에 의해 중형 수송 헬리콥터로 분류됨.

- 베트남에 배치된 CH-47A기들은 2650마력의 출력을 내는 라이코밍 (Lycoming)社의 T55-L7 엔진을 장착하고 있었고, 이 기종들은 최대 이륙 중량 33,000lbs(약15톤), 최대 적재중량 10,000lbs(45,359kg)의 성능을 가지고 있음.

- 그러나 베트남의 열대성 기후는 CH-47A의 성능에 제한을 가했고, 적재중량과 성능의 향상이 요구됨.

나. CH-47B

- 약 350대의 CH-47A 기종이 공급된 이후 보잉社에 의해서 소개된 CH-47B 기종은 라이코밍社의 T55-L7C 엔진을 장착하고 기체가 강화된 것으로 이밖에 비행 안정성의 증대를 위해 비대칭적 로터 블레이드와 뭉뚝한 후방 파일론을 적용한 것임. 보잉社는 1967년 5월부터 CH-47B의 공급을 개시하였으며, 이후 총 108대가 제작됨.

다. CH-47C

- CH-47C는 최대이륙중량이 46,000lbs까지 증대된 것으로 내부 연료탱크의 용적 및 운송 능력이 증가된 모델이며, 엔진은 라이코밍社의 T55-L11 엔진을 사용했는데 이 엔진은 종전의 T55-L7 계열보다 대폭 강화되어 3,750마력의 출력을 냄. 이밖에 耐충돌식의 연료탱크와 파이버 글래스材의 로터 블레이드의 적용 등 개량작업이 지속적으로

실시된 CH-47C는 1967년 최초로 비행하였으며, 이후 CH-47D가 개발되기 이전까지 상당기간동안 씨누크 비행대의 주력기종으로 자리 잡게 됨(CH-47C의 생산은 1980년 중단됨).

라. CH-47D

- CH-47D는 1976년 씨누크 개량계약에 의해 탄생한 것으로서, 미 육군은 미 육군이 보유하고 있는 씨누크기 들이 제 수명을 다해 가고 있다는 것을 인식하고 보잉社와 CH-47 기종의 개량화 작업을 실시하기로 계약을 체결함. 이 계약은 기존의 CH-47A, CH-47B, CH-47C 기종들의 기체를 완전히 벗겨내고 개선된 시스템을 장착한 3대의 CH-47D 시제품을 납품하는 것으로 시작됨.

- 개량작업에 의해 더욱 강력한 엔진, 로터 기어, 신형 집적화된 주유장치, 기어 냉각 장치 등이 교체 장착되었으며, 또한 전기종의 로터를 파이버 글래스材로 교체하는 것도 포함되어 있음.

- 이밖에 조종사의 업무량을 감소시켜 주기 위한 조종석의 재설계, 개선된 전자 시스템의 이중화 설계, 모듈러식의 유압 시스템 적용, 최신형의 비행관제 시스템, 개선된 비행장비의 적용등도 포함됨.

- 엔진은 Allied Signal Engines社의 T55-L-712으로 L11 계열과 마찬가지로 3750마력의 출력을 내는 것이나 연비 등의 개선이 반영되고, 1979년 3월 롤아웃된 CH-47D는 최고 시속 315km의 속도로 비행할 수 있음.

- CH-47D는 CH-47A의 두 배에 달하는 물자를 수송 및, 야간에 비행할 수 있으며, 또한 거의 전천후 비행이 가능하고, 특이하게 공중급유를 위한 프로브를 장착하고 있음. CH-47D의 내부적재공간의 용적은 42㎥이며 적재면의 면적은 21㎡로 두 대의 HMMWVs (High Mobility Multipurpose Wheeled Vehicle)나 또는 1대의 HMMWVs와 1대의 M198 105mm 곡사포와 운용요원을 동시에 적재할 수 있음.

- 병력 수송시에는 33명(기본 설치 좌석)~44명(좌석 재배열시)의 완전무

장병력을 수송하거나 24 개의 이동용 간이침대와 2개의 의료요원좌석을 설치하여 부상병을 수송할 수도 있음.

마. MH-47E

- MH-47E SOA(Special Operations Aircraft : 특수작전기)는 CH-47의 바리에이션으로 연료 탑재량의 증대 등의 개량이 가해진 기체임. 캐빈내에 800갤론 용량의 연료탱크가 추가되었으며, 보잉사가 설계한 Sponson 연료탱크가 덧붙여짐. 이 기체에는 개량형의 집적화된 에이비오닉스 장비와 다중모드식의 레이더를 탑재하였으며, 기체는 하니컴 형상으로 제작되어 전천후 장거리 작전이 가능하게 한 것으로 미국과 미국의 동맹 국군의 특수작전을 지원하기 위하여 개발된 것임.

- MH-47E 기종은 공중급유가 가능하며, 1회 급유시 대략 최대 2,000NM(약 3,700km)의 항속능력을 가지고 있는 것으로 알려져 있음.

- 미국의 파나마 침공 당시 미 특수부대의 공중강습에 사용되었으며, 사막의 폭풍작전 당시에는 강습작전 및 적지에 격추된 아군 항공기의 조종사에 대한 전투 구난작전에 사용됨. 제작분의 CH-47A는 그 해 10월에 공식적으로 미 육군 규격에 의해 중형 수송 헬리콥터로 분류됨.

HH-60 (Black Hawk)

1. 개 요

1968년 미 육군은 1950년대에 개발된 Bell사의 UH-1헬기를 대체하여 다목적 전술공수작전을 수행할 새로운 헬리콥터(UTTAS: Utility Tactical Transport Aircraft System) 연구에 착수함. 미국 시콜스키사에 의해 개발하기 시작하여, 시제기는 1974년 10월 최초비행에 성공하였고 1978년 10월 미 육군에 인도됨.

2. 주요 제원 및 성능 (UH-60)

구 분		내 용	구 분	내 용	구 분	내 용
크기	길 이	15.26m	무 장	헬파이어, 20mm기관총, 70mm로켓	엔 진	1890마력×2
	높 이	3.76m			최대속도	361km/h
무 게		10,421kg	로터 직경	16.63m	항속거리	600km

3. 주요 특성

- UH-60A Black Hawk는 900회의 비행과 1,700회의 이·착륙 등 650시간의 시험비행을 거쳐 1976년 12월 UTTAS 기종으로 최종 선택됨. 이것은 운용목적에 따라 여러 가지로 개조되어 미 공군에서 구조 및 귀환임무를 수행하는 HH-60, 미 육군의 특수부대를 위한 MH-60K, 미 해군의 SH-3H를 대체하기 위한 SH-60, 그리고 다목적 군사용, 수출용 및 민간용으로 제작한 S-70 등 여러 가지가 있음.

- 최초 양산형인 A형은 추력 1,560마력의 T700-GE-700 터보샤프트 엔진 2개를 장착하였으며 그 이후의 UH-60L/M 등은 1,860 마력의 T700-GE-701 엔진으로 교체됨. 3명의 승무원 외에 11명의 완전무장 병력을 수송할 수 있는 UH-60 Black Hawk 헬리콥터는 105mm 곡사포 등 3,630kg의 화물운반이 가능하며, M60 기관총, AGM-114 헬파이어(Hellfire) 미사일 등의 무장탑재와 자체방어를 위한 ALQ-144 적외선 방해장비(IRCM), XM130 채프 살포기, APR-39(V)1 레이더 경보수신기 및 항법장비로서 APN-209(V)2 레이더 고도계, ASN-43 자이로컴퍼스 등을 탑재함.

- 전천후 비행능력을 최대로 확보하기 위하여 엔진 방빙장치(Engine Anti-icing System)는 물론, 주 회전익과 보조회전익의 빙결(icing) 상태를 제거해주는 제빙장치(Main/Tail Rotor de-icing System)를 갖추고 있음.

4. 참고사항

현재 미 육군은 헬기 현대화 계획의 일환으로 추진 중인 차세대 헬기 사업 중 다목적 헬기 개발을 취소하고 UH-60 헬기를 계속 생산하기로 결정함. UH-60 계열 헬기는 현재까지 2,000 여대가 생산되어 미 육·해·공군 및 해병대와 오스트레일리아, 한국, 일본, 중국, 대만, 유럽 등 20여개국에서 운용되고 있으며, 걸프전 중 크고 작은 작전에서 병력수송 임무를 수행함.

JSTARS(E-8)

1. 개   요

　　J-STARS는 Boeing 707 항공기에 다기능 레이더/각종 통신장비를 탑재하여 우군 상공을 비행하면서 수백km 떨어진 적 후방 깊숙한 지역에 위치한 고정 및 이동 표적을 탐지 추적하여 실시간에 전술항공기나 지상의 전투부대에 정보자료를 통보하는 육.공 합동작전을 위해 개발한 미군의 합동지휘통제 체계로 보잉 737항공기에 다기능 레이더 및 각종 통신장비 탑재함(조종사 3명, 임무 요원 약20명)

2. 주요 제원 및 성능

구　분	내　　용	구　분	내　　용
항공기 크기(FT)	152×42×145	최대속도	702~918km
임무 시간	8h(공중급유시 17h)	임무 고도	34,000~42,000ft
탑재레이더	AN/APY-3	탑재레이더 탐지거리	130nm
승무원	조종사(3명), 임무 요원(약20명)	탐지거리	300km(SAR·MTI)

3. 주요 특성

가. 기 능

- 이동 / 고정 지상표적에 대한 근실시간 광역감시, 표적선정 및 정보자료 수집과 종심공격작전, C4I등을 통한 전구내 전장관리 능력 향상되었으며 수집된 정보는 지상수신소 및 체공중인 공격기에 송신이 가능하며 MTI시현 범위 내에서 실시간으로 고정표적에 대한 SAR 영상 시현 가능함.

나. 임 무

- 지휘통제, 공격지원(후방차단, 화력지원), 정보지원(징후경보), 전역미사일 방어(TMD), 탐색구조 및 특수작전 지원

다. 운영 모드

- MTI/WAS : 기본모드, 광역감시, 이동물체(4.5km/h~250km) 탐지 및 식별 · 적군 주 병참선, 적군 대기지역, 적대행위, 배치상태, 적군 주 접근로 등 판단
- MTI/SS : 중간 규모의 주요 관심지역 탐색
- MTI/AC : 소규모 탐색구역 내 공격통제 기능
- 합성구경레이더(SAR) : 포착범위 빔 중심에서 좌우 60°, 임무범위 50,000㎢의 성능 제공

4. 발전 동향

초기 A형 이후 C형까지 개발되어 군에 활용중이며 성능면에서 A형이 탑재한 AN/APY-3 레이더는 최대 탐지거리가 250km로 90cm의 목표물까지 식별이 가능하나 C형은 AN/APY-3 개량형 레이더는 동 거리에서 30cm까지 식별이 가능함.

Lynx

1. 개　요

　　Lynx는 1950년대 말, 영국군의 구형 헬기 대체를 위한 새로운 다용도 헬기를 개발 필요성에 의하여, 영국의 3개 항공기 제작사에 의해 합동으로 개발됨. 해군용 Lynx는 1970년대 초, 육군용과 병행하여 개발되었으며, 1972년 3월 시제기가 비행에 성공한 후1976년 2월부터 양산이 시작되어 1978년 1월 영국 해군에 실전 배치됨.

2. 주요 제원 및 성능

구 분		내　　용	구 분	내　　용	구 분	내　　용
크기	길이	13.33m	무 장	7.62mm 기관총, Mk44/46 2발 TOW 8발, Sea Skua 4발	엔 진	1620마력 2개
	높이	3.25m			순항속도	255km/h
무 게		5,330kg	로터 직경	12.80m	항속거리	565km

3. 주요 특성

- 해군용 Lynx는 착륙장치를 삼륜식 착륙바퀴로 교체하고 대잠 및 대함 작전에 적합한 무장과 항공전자 장비를 갖춤. 또한 기수에 탐색 및 추적용 레이더가 장비되고 주 로터의 깃을 접도록 설계하였으며, 엔진은 900마력의 Rolls Royce Gem 2 두 대를 탑재함.

- 탑재무장으로는 Sea-Scua 대함 미사일, 어뢰, 기뢰이며 수중음파 탐지기, 구조용 윈치, 자동비행 조종장치를 탑재하고 있음. 1984년 6월 최초로 비행을 실시한 Lynx3는 복합형 미익 로터를 개선하고, 객실의 용적을 넓히기 위해 동체를 30cm정도 크게 하였으며, 총 중량도 27%가 증가됨. 또한 주로터를 개량하여 효율을 40%증가시켰으며, 엔진은 1,115마력의 Rolls Royce Gem 60 엔진으로 교체함.

- 해군용 Lynx3는 함상의 적재공간이 최소화 되도록 주익 및 미익 로터를 접을 수 있도록 하였고, 기수에 360도 전방향 탐지용 레이더를 장착하였으며, 수중음파 탐지기 및 능동 또는 수동 음파 탐지용 부이를 탑재하고 있음. 대잠 및 대함 공격 무장으로는 어뢰 2발 및 기뢰 또는 Sea Scua 대함미사일 4발이 장착됨.

4. 참고사항

- Westland사는 육군 및 해군의 요구에 맞추어 복좌의 다용도 헬기를 목적으로 시제기를 제작하여 1971년 3월 시험비행을 실시하였는데 이 시제기는 700마력의 Rolls Royce BS 360 터보 샤프트 엔진 2대를 장착하고 동체 하부에 착륙용 스키드(skid)를 장착함.

- Lynx는 공격헬기로서의 능력을 향상시키기 위하여 엔진의 출력을 1,120마력으로 개선하고, 핫(HOT) 및 토우(TOW) 대전차 미사일과 사격조준장비를 탑재하였으며 대전차 임무에 적합하도록 조종석의 항공전자 장비를 개선함.

Rafale 전투기

1. 개　요

　　1979년 말부터 프랑스 공군은 Mirage-2000 및 Jaguar의 대체기로서 차세대용 전투기 개발 착수, Dassault사는 1983년 첨단기술의 다목적 전투기인 Rafale A 시제기 개발을 발표하였고, 1984년 6월 조립에 착수함. 1986년 7월 첫 비행 실시하여 2000년 이후 프랑스 공군의 주 전력으로 운용

2. 주요 제원 및 성능

구　분		내　　용	구　분	내　　용
항공기 크기(FT)		17.5×50.1×35.4	기　총	30mm×125발
중 량	최대이륙	54,000 lbs	최대속도	M 1.8
	최대무장	20,944 lbs	최대 G	9G
엔 진	모 델	SNECMA M88-2E4	최대 항속거리	950 nm
	추력(MIL)	2×10,950 lbs	이착륙거리	1,315/1,480 ft
	추력(MAX)	2×16,400 lbs	무장장착대	14 POINT
레이더 TYPE		RBE 2(탈레스)	최대 상승고도	60,000 ft

3. 주요 특성

가. 기 능

- Rafale은 기본 형태는 앞전후퇴각 45도이 델타익과 소형 카나드를 조합한 클로즈드 커플트 델타형식으로 공기흡입구는 고정식이며 고속성능보다 천음속 영역에서 기동성과 가속성 중시한 전투기로 공대공 요격 공대지 공격 및 대공화기 제압 등의 임무에 적합한 다목적 전투기임

나. 기 술

- 기체는 스텔스성을 가미하기 위해 최대한 소형 경량화 하도록 신소재를 많이 사용하였고, 조종시스템은 디지털식 3중 FLY-BY-WIRE 시스템을 구비하여 고속, 고출력의 최신 컴퓨터에 의하여 비행제어와 엔진제어를 통합, 단순화시킴과 동시에 무장 시스템까지도 연계시켜 자동조종이 가능

다. 장착능력

- 무장은 최신형 DEFA 554 30mm 기총 1문이 탑재되며, 발사대가 12개소 마련되어 Matra사의 미카(mica) 중거리 공대공 미사일 및 Matra R550 매직(magic) 단거리 공대공 미사일이 장착됨
- 대지공격용으로는 엑조세 대함미사일, ASMP 핵미사일 탑재 가능

4. 운용 현황

- 프랑스 공군에 대한 라팔 C형의 인도는 2005년 6월부터 시작, 초도작전 능력은 2007년에 획득함. 라팔 해군형은 2002년 샤를르 드골 항모와 함께 아프간에 파병되었으나, 아직 공대지 능력을 미 구비함.

Tiger

1. 개 요

 타이거는 프랑스와 독일이 1984년 공동으로 출자하여 유로콥터사를 설립하여 개발한 공격 헬리콥터로 처음부터 공대공 전투를 염두에 두고 개발되어 2004년 12월 오스트레일리아에 첫 인도됨.

2. 주요 제원 및 성능

구 분		내 용	구 분	내 용	구 분	내 용
크기	길 이	15.82m	무 장	트라이갓 ATM 8기, 70mm로켓탄 포드 2기, 30mm기관포 1기, 미스트랄 AAM 2기	엔 진	1,284마력
	높 이	4.32m			최대속도	260km/h
무 게		5,800kg	로터직경	13m	체공시간	2+50

3. 주요 특성

가. 기본구조

- 무게를 최소화하기 위하여 이 헬리콥터는 기체의 80%를 복합재로 제작되었다. 프레임과 빔은 케블러와 카본 라미네이트 재질로 되어 있음. 이 헬리콥터의 날개는 파이버 복합 재질이며, 레이더 파에 대한 반사도를 최소화하기 위해 설계됨. 또한 적의 적외선 장비에 의한 탐지를 막을 수 있는 도료로 도장되었으며, 적외선 억제 장치가 엔진 배기구에 장치되었다. 기체 내 밀봉 연료탱크에는 연료증기와 공기와의 혼합에 의한 폭발 위험성을 피하기 위하여 불활성 가스 시스템이 부착됨.

- 엔진은 적의 직사 공격에 의해 엔진이 소실되는 것을 피하기 위하여 장갑판에 의해 분리 장착됨. 이 헬리콥터는 NBC 방호능력을 가지고 있으며, 핵 전자 자기 펄스파에 의한 전자장비 교란을 막을 수 있음.

나. 무 장

- 30mm대공포는 기수에 장착되어 있는데 지상, 해상, 공중의 경 장갑 표적을 공격하는데 효과적임. 포탑에 설치된 포와 사격통제는 고도의 명중률을 달성하도록 설계되어 있으며, 1,000m에 있는 표적에 대하여 10발의 탄환으로 50%의 살상율을 나타냄.

- 68mm로켓은 68개를 기체 날개 아래 좌우 4개의 장착대에 장착할 수 있으며, 선택적으로 70mm로켓 52발을 대신 장착할 수 있음. 수평사격 조건에서 최대 사거리는 7,000m이다. 로켓은 헬멧에 있는 디스플레이를 이용하거나 지붕에 설치된 전자식 조준장치를 이용하여 발사 가능함.

- 공대공 미사일 체계에 있어서 타이거는 대공전투 능력을 갖춘 자동형 미사일 4발을 탑재할 수 있음. 미스트랄은 적합한 무장이며, 스팅거도 탑재 가능함.

다. 공대공 미사일

- 타이거는 4개의 미스트랄 미사일이나 4개의 스팅거 공대공 미사일을 장착할 수 있으며, 목표물 획득은 조준기를 수동적으로 조작하도록 하는 조이스틱을 사용하거나 자동 추적기능을 사용하여 달성된다. FIM-92 스팅거 미사일은 휴즈사와 독일의 라이센스 제작업체인 도니어사(Dornier GmbH)에서 제작 중이며, 1kg의 탄두와 5km의 사정거리를 가지고 있음. 미스트랄 미사일은 프랑스의 Matra BAe Dynamics사에 의해서 제작되는 것으로 3kg의 탄두와 5km의 사정거리를 가지고 있다.

라. 대전차 미사일

- 타이거 헬리콥터는 HOT 대전차 미사일과 TRIGAT LR 대전차 미사일로 무장됨. 대전차 미사일은 사수에 의해 조작되며, 한 번에 한 가지 무기만을 사용할 수 있음. TRIGAT LR 대전차 미사일은 영국과 독일의 회사들이 공동 설립한 '유로미사일 컨소시엄'에 의해서 개발된 것으로 사정거리는 500m~5,000m이며, 일제사격 시에 8초에 4발의 미사일을 발사할 수 있음.

4. 참고사항

타이거 헬리콥터는 크게 두 가지 버전이 있으며 독일 육군형은 대전차 공격 헬리콥터 PAH-2, 프랑스 육군형은 스카우트/지원형 HAP와 대전차 공격 헬리콥터 HAC가 있음. 또 프랑스/독일 합작으로 HAP와 HAC의 복합형으로 개량된 HCP임. Tiger HCP는 현재 그리고 미래의 작전 요구 성능을 집약하여 만든 개량형으로 기체 전면에 기총과 장사정 대전차 미사일이 장착된 지원헬기임.

U-2

1. 개   요

　　미 전략공군사령부는 비밀리에 장거리를 비행하는 정찰기를 만들어 구
소련 방공시스템이 미치지 못하는 고고도에서 정찰하기 위한 방안으로 개
발되어 1980년 ASARS-2 장착, 임무 실시

2. 주요 제원 및 성능

구 분	내 용	구 분	내 용
전장/기고/기폭(FT)	63×16×103	최대순항속도	692km
최대이륙중량(lbs)	40,000	추력(lbs)	17,000
최대운용 고도(ft)	90,000	항속거리(km)	4,830
승무원수	1명	수집센서	ASARS/EO/SIGINT

3. 주요 특성

- 익면하중이 적어 엔진을 끈 상태에서의 활공이 가능하여 항속거리를 늘릴 수 있음.

- 1960년에 구소련 상공에서 격추되어 "검은 스파이기"로서 악명 높은 U-2는 중앙정보국(CIA)에서 자금을 받아 1954년도에 시작하여 극비리에 개발된 항공기임.

- U-2 원형기는 1955년에 처녀비행을 하였고 미 전략 공군사령부(SAC)에 의해 고고도 장거리전략 정찰기로 사용되어 왔음. U-2A는 J57-P-37-A (11,200Ibs) 엔진을 장착하였으나, U-2B에서는 강력한 엔진의 J75-P-13 (17,000Ibs) 엔진으로 교체됨.

- U-2 개조형에는 U-2C, 복좌형의 U-2D, ECM 장비를 탑재한 U-2E, U-2F, U-2G 및 U-2R 등이있다. U-2R은 날개와 동체가 기본 U-2기 보다 커진 것이 특징임.

4. 주요 탑재 장비

- 2기와 유사한 TR-1 전술 정찰기는 생산이 시작된 1981년부터 1989년도 생산 종료시 까지 미 공군에 TR-1A 26대와 TR-1B 2대가 인도되었고 2대의 ER-2 항공기가 NASA에 인도됨.

- 합성 개구레이더(ASARS II) : 적 지역을 탐색하여 적 이동 사항 등의 정보 제공

  * EMTI(Enhanced Moving Target Indication) : 이동물체 탐지(ASARSII 센서와 함께 탑재)

  * SYERSII(측방 전자광학 센서) : 기존의 SYERS 센서는 전자광학 장비로 주간 청명한 날씨에만 임무 가능하였으나 SYERSII는 중파 적외선을 이용하여 주·야 임무가능

V-22 (Osprey)

1. 개 요

    V-22(Osprey)는 헬리콥터의 수직 이착륙 능력과 고정익 항공기의 순항 속도, 행동반경, 그리고 운용상 경제성 등을 결합시킨 틸트로터(Tilt rotor) 항공기임. V-22는 다양한 임무수행이 가능한 다목적기로 만들어져 미 해병대에서 공중강습 임무나 미 해군에서의 함대 병참지원, 탐색 및 구조임무와 특수전 지원임무, 미 공군에서의 장거리 특수작전과 탐색 및 구조임무, 그리고 미 육군에서의 부상병 후송 등 화물 및 병력수송 임무와 병참지원 임무를 수행할 수 있음.

2. 주요 제원 및 성능

구 분		내 용	구 분	내 용	구 분	내 용
크기	길 이	17.5m	탑승객	24명	엔 진	6,150마력×2
	높 이	6.7m	체공시간	5+00	최대속도	556km
무 게		24,950kg	로터직경	11.9m	항속거리	2,224km

3. 주요 특성

- 추력 1,650마력의 T406-AD-400 터보샤프트 엔진 2개를 장착하고 고정익 방식, 헬기방식, 전환단계의 세 가지 모드로 비행할 수 있어 이륙시 수직 이륙 및 단거리 이륙이 모두 가능함.

- 수직 이륙시의 작전행동 반경은 12,000파운드의 화물을 탑재했을 때 2,224km(1,200nm)이며, 단거리 이륙시는 20,000파운드의 화물을 탑재하고 3,336km(18,000nm)의 행동반경을 가짐.

- 헬기방식(Helicopter Mode)을 사용할 때, 해면고도에서의 최대 순항속도는 185km/h(100kts)이나, 고정익 방식을 사용할 때는 해발고도에서 556km/h (300kts)이며, 최대 7,925m(26,000ft)의 고도까지 상승할 수 있음.

- 또한 계류장(Parking Area)에서 계류시킬 때는 블레이드와 주날개를 돌려 접을 수 있어 점유공간을 최소화할 수 있는 것도 V-22의 장점임.

4. 발전 동향

- 현재 생산대수는 확정되지 않았으나 해병대에서 사용될 MV-22A가 500대 구매계획에서 현재는 350대 규모로 줄었음.

- 한편, CV-22A와 SV-22A도 각각 미 공군과 해군에서 관심을 나타내어 미 행정부가 다시 개발을 승인한다면 군사용뿐만 아니라 상업용으로도 많은 대수가 생산될 것으로 예상됨.

부 록 #3 적성국 항공기

AN-12BK-PPS 전자교란기

1. 개 요

러시아에서 AN-12를 플랫폼으로 개발한 수송기형 전자교란기

* 항공기 형상

- AN-12BK-IS : ECM Version
- AN-12(Cub-B) : ELINT Version
- AN-12PP(Cub-C) : ECM Version(Tail에 재밍 장비 장착)
- AN-12PPS(Cub-D) : 전방동체 양측에 ECM 장비 및 POD 장착

2. 주요 제원 및 성능

구 분		내 용	구 분	내 용
항공기 크기(FT)		124.6×108.5×34.5	최대속도	419Kts
중 량	최대이륙	134,480 lbs	최대순항속도	361Kts
	최대탑재	44,090 lbs	최소속도	88Kts
엔 진	모 델	AI-20K Turboprop	착륙속도	108Kts
	Propeller	AV-68 4개 Blade	최대상승율	1,970Ft/Min
	최대연료	4,781 gallon	최대상승고도	33,500Ft
무 장		2 x NR-23 Gun	이착륙거리	2,300Ft/1,640Ft

3. 주요 특성

가. 기 능

- AN-12B-1 : 공대공 탐색 레이더 재머 SPS-5-2X Fasol를 탑재하여 자체 보호기능 보유

- AN-12B-PP/AN-12BP-PP : 자동 능동 재머 시스템을 탑재하여 방공 레이더 식별, 위치 탐지 및 잡음신호 송출. SPS-22, SPS-44, SPS-55 Deception 재머를 장착하고, 1Mhz~18/20GHz 주파수 범위를 재밍. 항공기 Tail 부분에 ASO-24 Chaff 투발장치 장착

- AN-12BK-IS : Fasol/Siren 능동 레이더 재머와 투발장치 장착.

- AN-12BK-PPS : 대형편대군 작전지원을 위해 설계. 4개의 Siren 재머와 ASO-24 Chaff 투발장치, 전방동체 하부의 생물학적 보호장치, Ground Mapping 레이더 장착

나. 기 술

- 공격편대군 생존성 향상을 위한 전자전 기술 적용

다. 장착능력

- AN-12B-1 : AN-12A와 비교시 연료량 증가(5,151.5 gallon) 및 TG-16 APU 장착

- AN-12BK-IS : 화물적재량 30ton, Ground Mapping 레이더 장착 및 TG-16 APU 장착

IL-76(Candid)

1. 개   요

비 정상기지 및 단거리 이착륙 능력 보유, 88,000lbs를 적재하고 6시간 이내에 2,700NM을 비행할 수 있는 수송기의 필요성으로 인해 일류신(Ilyushin) 에서 생산

* **추진현황**
  - '71. 3. : 최초 비행   - '74. : 구소련 공군 작전배치

2. 주요 제원 및 성능

구 분	내 용	구 분	내 용	구 분	내 용
전 장	152ft	기 폭	165.8ft	기 고	48.5ft
자 중	159,000lbs	최대이륙중량	374,785lbs	전투 행동반경	3,617NM
추 력	26,455lbs× 4	엔 진	Soloviev D-30KP 터보팬 엔진		
최대속도	850km/h	순항고도	39,370ft	제작국/제작사	소련/Ilyushin

3. 주요 특성

가. 기 술

- 개발 목적에 부합하도록 시베리아의 전천후 날씨를 고려하였으며, 항법 및 착륙장치는 임무 컴퓨터에 의해 자동으로 통제됨
- 전방 하부는 유리로 되어있으며 항법사석이 위치해 있음
- 기수 밑에 지상 MAPPING용 레이돔이 위치해 있으며, T-TAIL 형이며, 수직안정판 끝이 앞으로 돌출되어 있음

나. 주요 탑재장비

- R-838과 R-847 통신장비를 장착하고 있으며, Kupol 3-76 항법 및 지상 Mapping용 기장레이더 장착
- Landing Gear 옆에 엔진 시동용 APU를 탑재하고 있기 때문에 별도의 지상시설 없이 항공기의 모든 시스템에 전원공급이 가능함

4. 운영 현황

- 소방용기 IL-76DMP, AEW&C기 A-50, 공중급유기 IL-78 등 15 종류 이상의 파생형을 가진 이 항공기는 세계적으로 군용 및 민간용으로 38개국에서 약 850대를 운영하고 있음. 주로 러시아, 우크라이나, 인도, 베네주엘라 등이 많이 운영하고 있음
- 1979년부터 1991년까지 구소련 공군은 아프카니스탄으로 14,700회의 비행을 하면서 병력 786,200명, 화물 315,800톤 등 당시 인원의 89%, 물자의 74%를 공수하였음

J-10 전투기

1. 개 요

중국의 Chengdu사가 설계·제작하였으며, 1998년 3월 첫 비행 실시하였다. 1980년 구 소련의 MIG-29와 SU-27에 대응하기 위해 최초로 개발을 시작하였으나, 구 소련이 해체되면서 중국 공군의 주기종인 JS-6S(MIG-19)와 J-7의 대체용으로 개발방향 전환(2006년 12월 : 중국 인민해방군, 합동군사훈련 및 실전배치 공개)

2. 주요 제원 및 성능

구 분		내 용	구 분	내 용
항공기 크기(FT)		15.8×47.9×28.9	기 총	23mm×○○발
중량	최대이륙	40,565 lbs	최대속도	M 2.2
	최대무장	9,921 lbs	최대 G	9G
엔진	모 델	AL-31FN	최대 항속거리	1,380NM
	추력(MIL)	1×17,155 lbs	이착륙거리	1,130/2,320FT
	추력(MAX)	1×27,557 lbs	무장장착대	11 POINT
레이더 TYPE		1453 레이더	주요장착장비	HMS, FLIR,

3. 주요 특성

가. 기 능

- 러시아의 AL-31F 터보팬 엔진(SU-27에 장착한 엔진)을 장착하였으며, 대형 귀날개 (Canard)와 델타형 주익 장착으로 높은 안정성과 기동성 보유하며, 외형은 이스라엘 Lavi 다목적 전투기와 유사함.

나. 기 술

- J-10 조종석은 3개의 다기능 디스플레이, 넓게 볼 수 있는 전방 디스플레이 및 헬멧 장착 조준기(HMS)로 구성, 저고도 항법과 정밀공격을 위한 적외선 전방탐지기(FLIR)와 레이저 조사 POD를 내부에 탑재함.

다. 무장 장착능력

- 4/PL-12(중거리 능동형 레이다 공대공 미사일), 2/PL-8(단거리 IR 공대공 미사일) 장착, 6 × 500kg LGB, 자유낙하폭탄, 90mm Rocket Pod 장착이 가능함.

4. 발전 동향

중국은 총 3,400 여대의 각종 항공기를 운용하고 있으며, 구형 F-6/7 (2,000여대) 전투기를 J-10 전투기로 점차 대체하면서 F-8(170여대), SU-27/30(110여대) 전투기와 연계하여 항공 전력 강화를 추진중이며, 엔진에 추력 편향장치를 구비 및 레이더 기능 향상을 통한 성능 개량 추진 예정임.

MIG-29 전투기

1. 개   요

　　구 소련은 서방측 전투기에 대한 상대적 열세에서 벗어나기 위하여 1971년경부터 F-14, F-15 등과 대등한 우수한 기동성과 작전능력을 구비하는 전투기 개발 착수하여 1977년 모스크바 근처의 라멘스코어(ramenskoye) 비행장에서 서방측에 최초 관측되어 'RAM-L'이라는 임시명이 부여되었으며, 1982년 중반 MiG-29라는 이름으로 시험생산 개시함(1984년 본격 생산).

2. 주요 제원 및 성능

구 분		내 용	구 분	내 용
항공기 크기(FT)		15.5×56.8×37.3	기 총	30mm×150발
중량	최대이륙	40,785 lbs	최대속도	M 2.3
	최대무장	6,614 lbs	최대 G	9G
엔진	모 델	R-33D 터보팬엔진	최대 항속거리	1,565 nm
	추력(MIL)	2×12,345 lbs	이착륙거리	820/2,000 ft
	추력(MAX)	2×18,300 lbs	무장장착대	6 POINT
레이더 TYPE		N-019 슬롯백	최대 상승고도	57,420 ft

3. 주요 특성

가. 기 능

- MiG-29는 SU-27보다 소형이며, 가변면적 방식의 공기 흡입구를 사용 Mach 2.3 속도 유지 가능하며, 조종석은 넓이가 넓고 깊이가 얕아 상당히 좋은 시계를 확보함.

나. 기 술

- 레이더는 F-18에 탑재된 APG-65와 유사한 성능을 가진 멀티모드 펄스 도플러 레이더로서 완전한 하방 탐색능력 구비

다. 장착능력

- AA-10 알라모, AA-11 아처 공대공 미사일 탑재 및 공대지 공격 무장 탑재 가능

4. 운용 현황

- 1983년부터 부대배치를 시작하여 1,300여대를 생산하였으며 러시아, 우크라이나 등 구소련 공군 운용 및 인도. 유고슬라비아, 폴란드, 체코, 슬로바키아, 독일, 루마니아, 불가리아, 북한, 헝가리, 이란, 이라크 등에 수출함. 이란-이라크 전쟁에서 첫 실전을 기록했으며, 발칸 분쟁시 활발히 사용함.

Su-25 공격기

1. 개 요

　　아음속 근접지원용 공격기로 기체의 각부분에 장갑을 입혀 생존성 증
대되었고, 1975년 2월 원형기 첫 비행 실시했으며 미 공군의 A-10 보다는
다소 크기가 작으며, 전체적으로 노스롭 A-9와 설계가 유사함.

2. 주요 제원 및 성능

구 분		내 용	구 분	내 용
항공기 크기(FT)		15.7×50.9×47.1	기 총	30mm×260발
중 량	최대이륙	38,800 lbs	최대속도	M 0.8
	최대무장	8,818 lbs	최대 G	6.5G
엔 진	모 델	R-195 터보제트엔진	최대 항속거리	675 nm
	추력(MAX)	1×9,921 lbs	무장장착대	10 POINT

3. 주요 특성

가. 기능

- Su-25 공격기는 주·야간 및 적의 치열한 대공 환경 하에서 지상군을 직접 근접지원하고, 다중 및 개별 소형 지상표적 무력화 능력 구비
- 공중 기뢰부설 및 육안으로 저속 공중 표적과 교전능력 보유.
- 아음속에서의 우수한 저기동성, 강력한 무장, 양호한 조종석 시계, 우수한 조준 및 항법장비, 긴 체공시간, 견고한 기체와 높은 생존성을 구비함.

나. 기술

- 티타늄 용접, 기갑 조종석 및 방탄 유리창, 폴리우레탄 FORM으로 된 연료탱크를 구비하였으며, 엔진 화재방지 구성품, 기골 손상 방지체계, 핵심부위 및 시스템의 기갑화, 12.7mm 탄환에도 손상을 입지 않도록 하는 화재저항 기능이 강화됨.

다. 장착능력

- 지·해상용 Kh-35, Kh-31P, Kh-25MP, S-25L 공대지 미사일 및 Kh-58UE 對 레이더 미사일 장착
- R-73E, R-27R(T), R-77, RVV-AE 공대공 미사일을 장착 가능하며, 고도의 정밀 무기를 통한 전천후 임무 수행 가능

4. 운용 현황

- 단좌형 약 1,000대, 복좌형 약 350대를 생산하여 소련 공군에 배치. 북한, 체코, 헝가리, 이라크 등에 약 200대 이상 수출됨
- Su-25는 소련의 아프간 침공시 높은 소티율을 기록하며 아프간 반군에 대한 폭격임무 수행함

SU-34 공격기

1. 개 요

 SU-34는 SU-24를 대체할 전투폭격기로 SU-27을 기반으로 개발되었고 원형기는 SU-27IB라고 불렸으며, 1990년 4월 초도비행 실시함.

2. 주요 제원 및 성능

구 분		내 용	구 분	내 용
항공기 크기(FT)		21.45×76.5×48.2	기 총	30mm×150발
중 량	최대이륙	97,774 lbs	최대속도	M 1.8
	최대무장	17,637 lbs	최대 G	9G
엔 진	모 델	AL-31-M1 터보팬	최대 항속거리	2,159NM
	추력(MAX)	1×25,000 lbs	무장장착대	12 POINT

3. 주요 특성

가. 기 능

- Su-34는 Su-27에 비해 전방동체의 폭을 넓혀 병렬 복좌의 조종석으로 재 설계하였으며, 주익과 미익은 Su-27과 동일하며, Su-35에 설치한 카나드를 추가함.

나. 기 술

- Su-34 조종석은 넓고 장시간의 작전에도 승무원의 피로가 매우 적으며, 일반 전투기보다 여압 능력이 우수하며, 화장실과 주방시설도 갖추고 있음.
- 레니네츠의 다기능 위상배열 레이더 및 후방 경계용 레이더가 탑재되어 있다. 조종석 주위는 티타늄 합금 장갑판으로 둘러싸여 있으며, 일부 연료탱크에 장갑보호를 설치함.

다. 장착능력

- GSh-30-1 30mm 기관포 및 R-73 공대공 미사일 장착 가능
- Kh-29L/T, Kh-25MT /ML, Kh-59M 공대지 미사일 및 KAB-500L /KR /KAB-1500L 유도폭탄 장착 가능

4. 운용 현황

- 러시아 공군은 2022년까지 200여대의 Su-34 도입 전망이나, Su-24에 대한 수명 연장사업으로 인해, 도입수량은 감소 예상

Tu-22M 폭격기

1. 개 요

    Tu-22의 개량형으로 핵·재래식폭탄 투하, 대함작전 및 정찰임무가 가능한 장거리 항공기로서 1970년대 중반부터 80년대까지 소련 위협론의 유력한 근거로 주장되던 초음속 폭격기

    * 1990 : 비행특성 및 성능이 향상된 ME형 개발

2. 주요 제원 및 성능

구 분	내 용	구 분	내 용
제원(m)	34.28×42.46×11.05	최대항속거리(km)	7,000
자체중량(kg)	54,000	추력(kg)	25,000×2
최대이륙중량(kg)	124,000	최대무장(kg)	24,000
최대속도(Mach)	M 1.88	승무원(명)	4

3. 주요 특성

가. 개발 배경

- 순항거리와 최대속도가 증가되고 장거리 공대지 미사일 운용이 가능하며, 주날개를 가변익으로 개량하여 Tu-22M으로 명명

나. 특 징

- 주익이 전후방으로 조절되는 가변익 항공기로 20도에서 최대 65도까지 변화되나 피벗이 바깥부분에 위치하여 가변익 효과를 극대화하기는 어렵지만 무게중심 이동이 적음.
- 항속거리 제한에 따라 유라시아 대륙 주변작전에 운용하는 전역 폭격기로 사용 중임.

다. 운용현황

- 러시아 해/공군이 주로 운영하며 130대 보유
- 우크라이나 공군 29대 보유

라. 장착능력

- 23mm 기관포 1문
- 대함미사일 3발; SRAM(단거리 공중발사 미사일) 6발
- FAB-1500 폭탄 8발 장착

4. 발전 동향

1990년 ME형 개발이후 개량을 하지 않고 있으며, 현재 정찰 및 전자전 임무를 수행가능한 MR형 10대를 운용중임.

Tu-160 폭격기

1. 개 요

　　미국의 B-1B 폭격기에 대응하기위해 구소련에서 개발한 초음속 전략폭
격기로 저고도 천음속 침투와 60,000ft에서 마하 1이상의 초음속 또는 아
음속 순항이 가능한 폭격기

　　* 최초 100대 생산을 목표로 1984년 생산을 시작하였으나,
　　　불상의 이유로 1992년 36대 생산후 계획이 종료됨.

2. 주요 제원 및 성능

구 분	내　　용	구 분	내　　용
제원(m)	55.7×54.1×13.1	최대항속거리(km)	14,000
자체중량(kg)	110,000	추력(kg)	25,000×4
최대중량(kg)	275,000	최대무장(kg)	40,000
최대속도(Mach)	M 2.05	승무원(명)	4

3. 주요 특성

가. 특 징

- 주익 위치가 전후방으로 20~65도까지 조절되는 가변익 항공기로 B-1 과 유사하나, B-1에 비해 주익 피벗이 동체에서 많이 떨어져 있고 동체날개가 큼.

- 두개의 폭탄 Bay에 크루즈 미사일, 핵폭탄, 재래식 폭탄, 기뢰 등 다른 임무 목적의 무장 장착 가능

- 항법장비와 표적 조준체계가 연동되고, 장거리 지상·해상 표적획득 레이더, 자동 지형추적 장치, 능동·수동 전자전 장비, 공중재급유 장치가 탑재

나. 기 술

- 다량의 무장탑재를 위해 대형 폭탄 Bay 2군데에 회전식 발사대가 설치됨.

다. 장착능력

- AS-15 순항미사일 또는 단거리 공격 미사일 탑재

- 30/CBU-87/89/97; ALE-50(견인 디코이 시스템) 탑재 가능

- 30/WCMD; 12/JSOW 또는 24/JASSM 투하가 가능한 임무컴퓨터로 교체

4. 발전 동향

이동표적 또는 전술표적을 타격하기 위해 초 고정밀 재래식 무기를 탑재하고, AS-15 순항 미사일을 AS-19 미사일로 대체

Z-10 공격 헬리콥터

1. 개 요

　중국에서 개발중인 전투헬기로서, 개발배경에 대하여는 알려진 바가 없으며 다만 새로운 정보들을 통하여 현 프로그램이 꾸준히 진행되고 있고 서방 공급사들이 돕고 있음을 알 수 있음.

2. 주요 제원 및 성능

구 분		내 용	구 분		내 용	구 분		내 용
제 작		중국	임 무		공 격	무 장	유도탄	HJ-10 대전차 미사일 4~8발
크 기	길 이	14.1m	성 능	엔진(최대)	1,531마력×2			
	높 이	3.85m		최대속도	270km		기관포	23mm 노린코
	넓 이	-		순항속도	230km		로 켓	57, 90mm
	로터직경	12.0m		항속거리	800km	주요장비		-
중량(최대)		6,000kg	수직상승률		600m/min			

3. 주요 특성

가. 동 체

- Z-10은 공격용 헬리콥터로서 조종석을 조종사와 무기 조작사간 계단식 전·후방 복좌형으로 기체 단면적은 5각형 모양이며, 기체 하부는 경사진 납작한 모양으로 무장 장착 날개가 장착되어 있음. 주 회전익은 5엽이며 꼬리 회전익은 4엽으로 동체 오른쪽에 장착되어 있음.

나. 컨트롤 시스템

- Fly-By-Wire 컨트롤 시스템과 현대식 조종석 Glass 및 MFD 스크린을 장착한 것으로 판단되며, 승무원들은 HMS를 통하여 무기들을 컨트롤 할 것으로 예상됨.

다. 엔 진

- 기체 상부 원통형 공간에는 2개의 Pratt&Whitney사 PT6-67C 터보 샤프트 엔진이 장착되었음.

라. 무 장

- Z-10에 탑재된 새로운 미사일은 HJ-10으로서 4기가 각 날개의 레일 발사대에 장착됨. HJ-10은 중국이 개발한 새로운 대전차 미사일로서 사정거리 및 성능 면에서 AGM-114 Hellfire급으로 평가되나 세부 사항은 알려져 있지 않음. 전방감시 적외선 레이더는 기수에 위치한 구형 터릿에 장착되었고, 그 아래에는 23mm 신형기총 및 AH-64 Apache와 같이 영상 및 표적조준 시스템이 설치됨.

4. 발전 동향

중국이 개발 중인 Z-10 공격용 헬리콥터는 Z-9 헬기를 대체하기 위해 헬기 전문 제작사인 Eurcopter사와 AgustaWestland사의 기술 및 장비 도입으로 최대이륙중량 및 항속거리 등 성능이 크게 향상된 것으로 판단됨.

참고 문헌

- 월간 군사 비전, 1989년 4월호

- 팜프렛, Weapon System, United States Army 1999, SAIC, 1999

- 21세기 군사전술 과학연구소, Military Science 2000년 신년호

- Military Helicopter Hand Book, 2000

- Jane's 연감, 2008~2010

- 인터넷 보잉사 홈페이지 "F-15K 전투기 소개자료"

- 양욱, KODEF 군용기 연감, 2007~2008, 플래닛미디어

- 국방과학연구소, 단거리 방공시스템 개발동향, 2003. 12

- 국방과학연구소, 세계 자주대공포 현황, 1993. 10

- 국방과학연구소, 세계 견인형 대공포 현황, 1993. 10

- 국방과학연구소, 단거리 대공 유도무기, 1995. 5

- JOURNAL OF DCN(http://dcn.or.kr/)

- 인터넷 공군 홈페이지(http://www.airforce.mil.kr/)

방공무기개론

발 행 일	|	2014년 2월 1일
공 저	|	최창규 · 성창수 · 이영욱
발 행 인	|	박승합
발 행 처	|	노드미디어
등 록	|	제 106-99-21699 (1998년 1월 21일)
주 소	|	서울특별시 용산구 갈월동 11-50
		[도로명 주소 : 서울특별시 용산구 한강대로 320(갈월동)]
전 화	|	02-754-1867, 0992
팩 스	|	02-753-1867
홈페이지	|	http://www.enodemedia.co.kr
I S B N	|	978-89-8458-287-3-93550

정가 26,000원